BIBLIOTECA DE LA UNIVERSITAT DE BARCELONA. Dades catalogràfiques

Boatella i Riera, Josep
Dades per a la història de la bromatologia (... i de l'anàlisi química, la toxicologia i la nutrició...)
a la Facultat de Farmàcia de la Universitat de Barcelona : 1845-2002

Bibliografia
ISBN: 84-475-2726-3

I. Títol
1. Universitat de Barcelona. Facultat de Farmàcia   2. Farmàcia   3. Química dels aliments
4. Química analítica   5. Nutrició   6. Educació superior   7. Història de la farmàcia   8. Història
de l'educació   9. Professors universitaris   10. Tesis doctorals   11. Biografies

© PUBLICACIONS DE LA UNIVERSITAT DE BARCELONA, 2002
Adolf Florensa, s/n; 08028 Barcelona; Tel. 93 403 54 42; Fax 93 403 54 46; sipu-sec@org.ub.es;
http://www.ub.es/spub/sipub.htm; 2002

Maquetació: M. Dolors Boatella i Maurici Rodon

Disseny portada: M. Dolors Boatella

Correcció text: Servei de Llengua Catalana UB

Impressió: Gráficas Rey, S.L.

Dipòsit legal: B-51.525-2002

ISBN: 84-475-2726-3

Imprès a Espanya / Printed in Spain

*L'edició d'aquest llibre ha estat possible gràcies a l'ajut econòmic del Departament de Nutrició i Bromatologia
de la Universitat de Barcelona.*

DADES PER A LA HISTÒRIA
DE LA BROMATOLOGIA (...i de l'Anàlisi Química, la Toxicologia i la Nutrició...)

A LA FACULTAT DE FARMÀCIA
DE LA UNIVERSITAT DE BARCELONA (1845-2002)

Josep Boatella Riera

Publicacions

UNIVERSITAT DE BARCELONA

Índex

Presentació 9

Personatges 11

José Casares 13
Enrique Moles 17
Ramón Casamada 19
Fidel Enrique Raurich 21
Francisco Hernández 23
Francisco Moreno 25
M. Carmen de la Torre 37

L'organització: les càtedres i els departaments 41

El professorat i altre personal 51

La docència 61

Les tesis doctorals 71

Les tesines de llicenciatura 81

Bibliografia 89

Abreviatures

AFM	Arxiu de la família Moreno
AHCA	Arxiu històric del Col·legi d'Arquitectes
AHFF	Arxiu històric de la Facultat de Farmàcia (UB)
AHUB	Arxiu històric de la Universitat de Barcelona
AHUG	Arxiu històric de la Universitat de Granada
AMF	Abel Mariné Font
BETSEIB	Biblioteca de l'Escola Tècnica Superior d'Enginyers Industrials de Barcelona. UPC
JBR	Josep Boatella Riera
LLGB	Lluís Girau Bach

Fotografia 1. Façana principal de la Universitat de Barcelona segons un projecte d'Elies Rogent (AHCA)

Presentació

A les mans teniu una història resumida del que han estat, aproximadament, cent cinquanta anys de l'Anàlisi Química i la Bromatologia a la Facultat de Farmàcia de la Universitat de Barcelona. Es tracta, fonamentalment, d'una relació de persones, de la docència que s'ha impartit i de l'organització del que primer eren les càtedres i després els departaments. L'he confeccionat amb il·lusió i per diversos motius. En primer lloc, perquè l'atzar ha volgut que, durant els darrers trenta-cinc anys, hagi pogut ser espectador i, a la vegada viure-ho molt de prop, d'una evolució del sistema universitari que ha comportat canvis de tal magnitud que fins i tot se'm fa difícil de trobar un únic qualificatiu que permeti expressar-la en tots els seus vessants. Crec que la lectura i l'anàlisi de tot el que es relaciona en aquest opuscle ens pot ajudar a comprendre i entendre moltes coses, des d'una perspectiva més àmplia que la que ens ofereix la nostra activitat quotidiana. Des d'un cas concret, podreu constatar, per extrapolació, aquests fenòmens evolutius. Moltes vegades hem comentat, amb uns quants de vosaltres, la importància de la reflexió sobre *quin és el nostre origen*. Doncs bé, aquestes són algunes aportacions per continuar la reflexió.

Aquesta evolució ha afectat, conseqüentment, el nostre Departament, que, en certa manera, ha estat un exponent de fenòmens de gran interès i per als quals us demano una atenció especial. Des d'un punt de vista històric, veureu com es produeix la gènesi i l'evolució de disciplines noves (Bromatologia, Toxicologia, Nutrició), per a les quals cal reivindicar l'origen a les facultats de Farmàcia. Finalment, aquest procés pot arribar, fins i tot, a generar noves titulacions. També podreu observar l'evolució del sistema organitzatiu a la universitat, des d'una càtedra constituïda pel catedràtic i el seu auxiliar fins a la situació actual, molt més complexa, amb departaments que integren un professorat nombrós i que imparteixen la docència a diversos ensenyaments i facultats.

D'altra banda, l'atractiu que sempre han tingut, per mi, la història de la Farmàcia i les qüestions universitàries, m'han permès recopilar, amb el temps, un material que crec que també pot ser d'interès per a vosaltres. De fet, la feina ja la tenia feta. Es tractava d'ordenar-la i completar-la, això sí, amb l'ajut d'algunes persones.

Un altre motiu és el de recordar i retre homenatge a totes les persones que apareixen en aquest resum. Amb les seves aportacions, han contribuït al desenvolupament d'aquestes disciplines, a vegades amb uns mitjans escassos i amb unes condicions molt precàries. No puc deixar de recordar, en aquesta presentació i d'una manera molt especial, el Dr. Francisco Moreno Martín. No crec que m'equivoqui si dic que gairebé tots els que constem en aquesta relació i els que l'hem conegut tenim un sentiment d'agraïment, de simpatia i de consideració per la seva manera de ser i d'ensenyar, i és per això que molts de nosaltres el considerem un *mestre*. Per als més joves, aquest paper el va assumir la Dra. M. Carmen de la Torre Boronat, que crec que ha tingut el privilegi de viure el desenvolupament de la Bromatologia com a disciplina i, per tant, s'ha convertit en un referent d'aquesta disciplina a Catalunya i Espanya. Però n'hi trobareu molts d'altres, de professors i companys amb els quals hem conviscut a les aules i al laboratori, que avui desenvolupen les seves tasques professionals a la indústria, l'oficina de farmàcia, l'administració o la universitat. Ja veureu, en llegir els seus noms, la quantitat de records que us vénen a la ment!

De la reflexió sobre algunes qüestions relacionades amb la docència, possiblement en podríem extreure conclusions d'interès. L'etern debat sobre aspectes bàsics en la formació del farmacèutic, l'equilibri entre formació teòrica i pràctica, les sortides professionals i, d'una manera especial, el paper del farmacèutic en els àmbits de l'alimentació i de la nutrició, les relacions amb els entorns professionals, etc., prenen, des d'aquesta visió, una dimensió diferent. Caldria dir el mateix pel que fa a la recerca. La seva relació amb la docència, els problemes que planteja la diversitat de matèries, les dotacions, les oportunitats, etc., es poden analitzar o, si més no, es poden entendre dins d'un procés molt més complex que el que, a vegades, sembla que ens condiciona.

El bon amic Ramon Jordi m'insisteix constantment en la importància que té per a la història l'adquisició de l'hàbit d'escriure els fets i les vivències dels que en som actors o espectadors. He volgut donar compliment, de manera parcial, a aquesta recomanació. Dic això perquè el treball que teniu a les mans no inclou ni opinions ni comentaris personals. Es tracta, com ja he esmentat, d'una relació a partir de la qual cadascú s'ha de poder fer la seva història particular, però que, en qualsevol cas, ens ha de fer sentir com a hereus d'un patrimoni important, del qual, a la vegada, ens hem de sentir molt orgullosos.

Per acabar, voldria fer encara un parell de consideracions. En primer lloc, voldria fer constar que aquest treball no pretén ser exhaustiu i que és possible que hi manqui la menció d'algunes persones, un fet que només pot atribuir-se al desconeixement de l'autor. En segon lloc, i per acabar, voldria dir-vos que, en els darrers anys, m'he adonat de l'existència de disciplines de caire molt diferent en el si de la universitat, no des d'un punt de vista de continguts, fet que és obvi, sinó des del punt de vista del seu impacte sobre la societat. I la història ha volgut que la Bromatologia i la Nutrició hagin tingut un interès especial per a la societat, perquè tenen en compte des del control de fraus fins a diversos aspectes relacionats amb una alimentació sana i equilibrada. Crec que, des de fa molts anys, tots els que hem viscut aquesta narració hem sigut conscients d'aquest fet però, fins fa poc, ni el sistema universitari, ni el món de l'empresa, ni, amb prou feines, l'Administració, han estat capaços d'aprofitar aquest potencial.

Els personatges

Fotografia 2. José Casares Gil
(1866-1961) (AHFF)

Casares Gil, José. (10/3/1866, Santiago de Compostel·la - 21/3/1961, Santiago de Compostel·la) (AHUB)(1)(2)(3)(4)

Era fill d'Antonio Casares Rodríguez, farmacèutic, metge, enginyer de mines i primer catedràtic de Química de la Universitat de Santiago de Compostel·la, l'any 1845. Casares Gil va fer els estudis de Farmàcia a la Universitat de Santiago (1879-1884) i va guanyar el Premi Extraordinari; els estudis de Ciències Químiques els va fer a la Universitat de Salamanca (1886). Va obtenir el grau de doctor en Farmàcia l'any 1887.

Durant el període 1886-1888 va ocupar una plaça a la Universitat de Santiago, primer d'ajudant interí i després en propietat (1886). L'any 1887, va rebre l'encàrrec (a proposta del degà) d'impartir l'assignatura Estudi dels Instruments i Aparells de Física d'Aplicació a la Farmàcia.

En establir-se l'assignatura Anàlisi Química i en particular dels Aliments, Medicaments i Verins a la llicenciatura en Farmàcia, va fer oposicions a la càtedra de Barcelona, de la qual prengué possessió el 17 de gener de 1889.

Casares mostrà un gran interès i una gran preocupació per la millora de la universitat. Les seves idees en relació amb aquesta qüestió queden paleses en el discurs que va pronunciar en la inauguració del curs 1900, a la Universitat de Barcelona, amb el títol «Estudio de la causa del atraso científico en España en comparación con Europa». Joandomènec Ros (5) diu que «Casares no és un teòric de la docència, sinó un químic que ha patit en les pròpies carns una docència de ciències en una universitat que amb prou feines sortia del marasme de la fi del segle XIX».En aquest sentit, va dirigir-se al seu degà amb un escrit en el qual, entre altres qüestions, plantejà la reflexió següent: «Las ciencias experimentales requieren un doble trabajo: enseñanza teórica en la Cátedra y enseñanza práctica en gabinetes y laboratorios. Sin la primera, en vez de farmacéuticos formaremos prácticos, quizás muy hábiles; pero faltaran aquellas miras generales y aquellos conceptos sintéticos, que sólo se adquieren con el trabajo de estudio. Sin la segunda, llegaremos a formar grandes teóricos, vanidosos de sus conocimientos tan brillantes como inútiles, y que sufrirán no pequeñas decepciones al querer poner en práctica el más sencillo de sus conocimientos».

En morir la seva muller, l'any 1892, va ser substituït interinament per Enric Roca i, molt probablement, aquesta circumstància fatal el va empènyer a emprendre diversos viatges a l'estranger -Alemanya, 1896 (Munic) i 1899- per rebre un curs de perfeccionament en Química Orgànica), on va conèixer diversos químics eminents de l'època, com ara Baeyer, Fresenius, Wilstäeter, Thiele, Soxhlet, etc., amb els quals va treballar.

El 18 de març de 1900 va ser nomenat degà de la Facultat, càrrec que ja ocupava interinament, en substitució per malaltia del degà, també accidental, Benito Torá Ferrer. Però, encara el 1902, va demanar llicència (amb una subvenció de 2.000 pessetes) per fer una estada als Estats Units amb la finalitat d'ampliar els seus coneixements, la qual cosa va comportar una altra substitució accidental del deganat, coberta per Marcelo Rivas Mateos, fins el 13 d'octubre de 1903. El 17 d'abril de 1936 va ser proposat com a degà honorari de la Facultat de Farmàcia, una petició que va ser ratificada, amb data de 29 de maig de 1936, pel Patronat de la Universitat Autònoma de Barcelona.

L'any 1905, mitjançant un concurs de trasllat, va ocupar la càtedra de la Facultat de Farmàcia de la Universitat Central de Madrid, que tenia la mateixa denominació, juntament amb la de Tècnica Física Aplicada a la Farmàcia.

Casares va deixar una nombrosa escola d'homes de ciència en la qual destaquen, entre d'altres, Enric Moles, Ramón Casamada, Fidel Raurich, Román Casares, Francisco Moreno, Benet Oliver Rodes, Enric Soler i Batlle, etc. Roldán (1) diu que ell «Fué una de las personalidades científicas más eminentes de España, y su nombre, querido y respetado no sólo en nuestra nación, sino en el extranjero, es un orgullo para la Farmacia española [...]».

Des d'un punt de vista científic, va treballar d'una manera especial en l'anàlisi d'aigües mineromedicinals (fluor). En aquest sentit, cal fer esment de la seva amistat i relació científica amb Henry Moissan, catedràtic a París, descobridor del fluor i Premi Nobel de Química. De la seva obra, cal destacar d'una manera especial el llibre *Elementos de análisis químico cualitativo mineral* (Tipolitografia. Barcelona, Espasa i Cía., 1897), que ha estat, en les diverses edicions (*Tratado de análisis químico*, una obra que va continuar el seu nebot, Román Casares López -1908, Badalona-, catedràtic a Madrid des de l'any 1940 fins al 1978), el llibre de text de nombroses promocions de farmacèutics, de la mateixa manera que el seu *Tratado de técnica física*. D'entre les seves publicacions, també cal destacar *Fundamentos que sirven de base a las fórmulas de estructura y de la importancia de las mismas en la Biología* (Barcelona, Real Academia de Medicina, 1998; les *Consideraciones acerca de algunos métodos empleados en el análisis de aguas minerales* (Madrid, Estudios Tipográficos, 1909); *La acidez actual y su evolución* (Madrid, Imprenta Enrique Teodoro, 1917); *Relaciones entre los progresos de la Química y la Medicina* (Madrid, Real Academia de Medicina, 1918); *De la Ciencia, de su importancia y en particular de Química* (Madrid, Universidad Central, 1922); *Sobre la investigación del flúor en aguas minerales* (1929); *Sobre la determinación del flúor por transformación del fluoruro de silicio* (1929); *Algunos recuerdos históricos sobre la química de la segunda mitad del siglo XIX* (Burgos, Imprenta Aldecoa, 1940); *Métodos oficiales de análisis de alimentos* (Madrid, Suc. Rivadeneyra, 1940); «Sobre la importancia del perfeccionamiento de los métodos analíticos» (Madrid, *El Monitor Farmacéutico*, XXXII).

Va ser acadèmic de la Reial Acadèmia de Ciències i Arts de Barcelona, de la de Medicina de Barcelona, de la Real Academia de Ciencias Exactas, Físicas y Naturales (de la qual va ser-ne president), de la de Reial Acadèmia de Farmàcia (que també va presidir) i també va ser senador per la Universitat de Santiago. Va ser director de l'Instituto Alonso Barba, en el qual es van formar científics eminents de la seva escola. Casares va rebre nombroses distincions, com ara el nomenament de doctor *honoris causa* per les universitats de Munic (1920) i Oporto (1943), el Premi March de Química, etc.

Document 1. Portada de l'edició de 1911 del
"Tratado de Análisis Químico"
(BETSEIB)

Fotografia 3. Enrique Moles Ormella
(1883-1953) (6)

Moles Ormella, Enrique (26/8/1883, Barcelona - 1953, ?) (AHUB)(1)(3)(4)(6)

Enrique Moles va néixer al barri de Gràcia (Barcelona) el 26 d'agost de 1883. Es va llicenciar l'any 1905 i el 1906 es va doctorar a Madrid, amb la presentació de la tesi *Micas de España, análisis cuantitativo*. L'any 1920 també es va llicenciar en Ciències Químiques a la Universitat de Barcelona i es va doctorar el mateix any amb el treball *Revisión del peso atómico del flúor*.

Va ser professor auxiliar numerari i, juntament amb Ramon Casamada Mauri, es va encarregar de la càtedra d'Anàlisi mentre romangué vacant (1905-1911). Durant aquests anys, es va traslladar a Munic i Leipzig, on va treballar amb el Premi Nobel W. Ostwald i va obtenir el doctorat en Ciències Químiques. Igualment, també va anar a Ginebra, on va fer una estada al laboratori de P. A. Guye. En tornar, va traslladar-se a Madrid, on va desenvolupar les seves tasques docents com a professor auxiliar de Química Inorgànica. Posteriorment, l'any 1927, va ser catedràtic de la Facultat de Ciències. Així mateix, l'any 1931 va ser nomenat cap de la Secció de Química Inorgànica de l'Instituto Nacional de Física y Química (Fundació Rockefeller). De fet, la seva activitat a la Universitat de Barcelona va ser breu i en el període inicial de la seva carrera. Això no obstant, tant pel seu origen com per la seva vàlua científica, mereix un lloc destacat en aquesta història. Per a molts, Enrique Moles «pot ser considerat el fundador de la Química Física a Espanya».

El 1934 va ser elegit secretari de la Comisión Internacional de Pesos Atómicos i quan va començar la Guerra Civil va ser nomenat director general de Pólvoras y Explosivos. Quan va acabar la contesa, es va exiliar. En tornar a Espanya del seu exili a Mèxic, l'any 1941, el van detenir i condemnar. Excarcerat el 1943, el van desposseir de tots els seus càrrecs i propietats, i des d'aleshores va treballar als Laboratorios IBYS.

Del seu període barceloní, es poden destacar les obres següents: *Procedimientos de análisis de silicatos, seguido de análisis cuantitativo de algunas micas españolas* (Barcelona, Tip. S. Asmaratis, 1906); *Guía práctica de análisis de orina* (Traducció. Barcelona, Imprenta Guinart y Pujolar, 1907); *Manual de técnica bacteriológica, conteniendo las más importantes indicaciones técnicas para los trabajos de laboratorio de bacteriología* (Traducció. Barcelona, Manuel Marín, Ed., 1908); *Formulario-guía de Farmacología, Terapéutica y Análisis químico-farmacéuticos* (Barcelona, Imprenta Elzeviriana, 1909).

Fotografia 4. Ramón Casamada Mauri
(1874-1936) (4)

Casamada Mauri, Ramon (13/10/1874, Sant Esteve de Castellar, Terrassa - 23/9/1936, Barcelona) (AHUB)(1)(2)(3)(4)

El seu cognom original era Morral, però una instància del seu pare a la Direcció General de Registres i del Notariat va aconseguir l'autorització per canviar-lo pel de Casamada. Procedia del terme de Sant Esteve de Castellar. Va estudiar Farmàcia a la Universitat de Barcelona, on es va llicenciar l'any 1895 amb el Premi Extraordinari. L'any 1896 va aconseguir el títol de doctor en Farmàcia i també el de doctor en Ciències. La seva tesi doctoral es titulava *Estudio de los métodos de determinación de tanino en los vinos, con un método original.*

El 1897 va ser nomenat per la Dirección General de Instrucción Pública ajudant de classes pràctiques de la càtedra Estudi dls Instruments de Física, Química Inorgànica i Anàlisi Química. Posteriorment, va ser professor auxiliar interí (1899-1901) i auxiliar numerari. L'any 1910 va sol·licitar el seu nomenament com a catedràtic d'Anàlisi Química i Tècnica Física, ja que fins aleshores, s'ocupava d'aquesta càtedra com a interí. Aquesta petició no fou acceptada i el Dr. Casamada va accedir a la càtedra en virtut d'un concurs oposició celebrat l'any 1911. El van nomenar degà de la Facultat el 23 d'octubre de 1930, un càrrec del qual va dimitir el 16 de juliol de 1931. L'any 1935, li van reconèixer la titularitat de la càtedra, per acumulació, de la de Tècnica Física. Va sol·licitar que les assignatures d'Anàlisi i de Tècnica Física tinguessin un caràcter diari.

Fou delegat per la Federación Española de Sociedades Químicas, a la Secció de Bromatologia i conservació de substàncies alimentàries de la Union International de Chimie Pure et Apliquée. Així mateix, va ser acadèmic de la Reial Acadèmia de Medicina i Cirurgia de Barcelona (1922).

D'entre els seus treballs, cal destacar una publicació amb el títol *Nociones de matemáticas más indispensables para el estudio de la física y de la química* (Barcelona, Tip. de F. Costa, 1897); l'exposició d'una conferència a Cambridge (4a Conferència Internacional de Química), «Conservación de materias alimenticias por sustancias químicas» (1923), i de diversos treballs sobre l'anàlisi d'aigües i de vins. D'aquests, es poden destacar *Análisis de las aguas minerales de la Font Picant o manantial número uno de San Hilario Sacalm* (Barcelona, Tip. A. Suárez, 1916); *Algunas importantes aplicaciones de la luz en análisis químico* (Barcelona, Imp. Badi, Barcelona, 1922); *El análisis electrolítico* (Barcelona, Real Academia de Ciencias y Artes, 1928); *Espectros de absorción en el ultravioleta y la investigación de los colorantes artificiales en los vinos* (Barcelona, Imp. Sobrs. López Robert y Cía., 1931); *Espectros de adsorción en ultravioleta para la diferenciación de los aceites de oliva virgen de los refinados* (Barcelona, Imp. Sobrs. López Robert y Cía, 1935). En relació amb aquest últim treball, Roldan (1) fa el resum següent:

«[...] importancia que tiene el estudio de los espectros de adsorción de rayos ultra-violeta para la diferenciación de los aceites de oliva virgen, de los refinados procedentes de aceitunas de mala calidad o bien de orujo sometido a diversas manipulaciones; indica cómo en la actualidad, debido al considerable progreso de los métodos usados para el refinamiento de los aceites de mediana calidad, los medios que tenemos para distinguirlos de los finos, se hacen cada vez más difíciles y por ello, recurriendo a la aplicación de la espectrofotografía, podemos solucionar con suma brevedad estos problemas.»

És molt important destacar que diversos temes de recerca que sorgeixen en aquest recull seran una constant en les generacions que se succeiran: el fluor, el vi i els olis. El text que hem reproduït, per exemple, és un record històric excel·lent per al cas de l'oli.

L'any 1933, va signar l'anomenat *manifest dels 41*, en el qual es demanava una revisió important de l'organització de la Institució (7). Aquest manifest el va lliurar un grup de catedràtics de la Universitat, encapçalat pel Dr. Soler i Batlle, al president del Patronat de la Universitat Autònoma, l'11 de desembre de 1933.

El Dr. Casamada, oncle del Dr. R. San Martín, que anys després va ser catedràtic i degà de la Facultat, va causar una baixa per defunció l'any 1936. La seva mort, juntament amb la dels Drs. Tayá i Palomas (aquest darrer, catedràtic de Matèria Farmacèutica Vegetal), va ser un episodi especialment tràgic per les circumstàncies en què es va produir i perquè, a més, i malgrat les gestions que van dur a terme els seus familiars i el degà de la Facultat, el Dr. Deulofeu Poch, no se'n va trobar el cadàver.

Raurich Sas, Fidel Enrique (10/9/1892, Barcelona - 29/5/1978, Barcelona)
(AHUB)(AHFF)(1)(3)(4)

Era fill de farmacèutic (Fidel Enrique Raurich), i es va llicenciar en Farmàcia, l'any 1915, amb Premi Extraordinari, a la Universitat de Barcelona. Es va doctorar el 1919 (Premi Extraordinari), amb la tesi *El ácido silicotúngstico en la determinación cuantitativa de la morfina y de la atropina contenidas en las tinturas de opio y de belladona*. Va ser nomenat (1917-1925) auxiliar interí, sense retribució, de la càtedra de Química Inorgànica. L'any 1920, va veure desestimada la seva sol·licitud de concursar a la càtedra de Santiago i, el 1924, el degà de la Facultat de Barcelona li va fer l'encàrrec de la càtedra de Química Inorgànica, per la defunció del seu titular, el Dr. Capdepont, juntament amb el Dr. Isamat Vila, com a ajudant de pràctiques. Finalment, va guanyar, per oposició, la càtedra de la Facultat de Farmàcia de Santiago (1925). L'any 1928, li van concedir l'excedència voluntària per integrar-se a la Sección de Química de l'Institut de Farmacobiología de Madrid. Durant aquest període, va ser auxiliar temporal a la Facultat de Farmàcia de Madrid, adscrit a la càtedra Análisis Especial de Medicamentos Orgánicos (1934).

L'any 1939 es va reintegrar, però a la Facultat de Farmàcia de Barcelona, i va ocupar la càtedra vacant del Dr. Casamada. Va ser nomenat catedràtic provisional (Tècnica Física i Fisicoquímica Aplicada) l'any 1939 i, per acumulació, l'any 1940 va ser encarregat de la d'Anàlisi Química Aplicada i Bromatologia, una disciplina que va impartir amb l'ajut de Francisco Hernández Gutiérrez.

Quan el 1944 es va separar la càtedra, Raurich va optar per la de Tècnica Física i Fisicoquímica Aplicada, i es va jubilar el 10 de setembre de 1962. Raurich va ser vicedegà de la Facultat durant el període 1943-1951, anys en què els degans foren el Dr. Soler Batlle (1939-1947) i el Dr. R. San Martín Casamada (1947-1954). Va ser acadèmic de la Reial Acadèmia de Farmàcia de Barcelona, de la qual en va ser el president durant els anys 1963-1964.

De l'obra del Dr. Raurich, cal destacar nombroses publicacions relacionades amb la tècnica física, l'anàlisi de medicaments i la físicoquímica, d'entre les quals podem citar les següents: «Marcha analítica simplificada» (*Restaurador Farmacéutico*, 80, 316-319, 1925), «Valoración del extracto fluido de Hidrastis canadiensis» (*Anales de la Sociedad Española de Física y Química*, 24, 647-655 / 656-667, 1926); *Fundamentos del pH: pR* (Discurso Inaugural Universidad de Santiago, 1927); «Algunas reacciones de la harina» (amb F. Hernández) (*Anales de la Sociedad Española de Física y Química*, 29,74-76, 1934); «La reacción de Gmelin» (Anales de la Sociedad Española de Física y Química, 34, 419-494, 1936); «Resumen de Técnica Física» (*Medicamenta*, 4ª ed., 1951); «Resumen de Análisis Químico» (*Medicamenta*, 4ª ed., 1951), *Permanganimetría del gluconato bárico* (amb M. Castillo), «Determinación mercurimétrica de los tetrafenilboratos alcalinos» (amb M. Castillo, *Anales de la Sociedad Española de Física y Química*, 53, 44, 1957), etc. Així mateix, cal destacar especialment la publicació *Óptica oftálmica*, de l'any 1968.

Cal atorgar al Dr. Raurich un paper decisiu en el desenvolupament de la Fisicoquímica i de les tècniques instrumentals a la Facultat de Farmàcia, com també dels estudis d'Òptica.

Fotografia 5. Fidel Enrique Raurich Sas
(1892- 1978) (4)

Hernández Gutiérrez, Francisco (9/3/1905, Barcelona - 23/3/1991, Barcelona) (AHUB)(3)

Des de l'any 1944, i com a professor auxiliar temporal de Tècnica Física, va ocupar-se de les assignatures d'Anàlisi Química i Bromatologia. L'any 1948 va rebre l'encàrrec de la càtedra. Posteriorment (1958), va ser nomenat adjunt interí, ajudant (1961) i, més tard, professor adjunt d'Anàlisi Química (convocatòria del BOE, de 12 de febrer de 1966), davant d'un tribunal format pels doctors Amat Bargués (president), Moreno Martín i Villar Palasí, el 31 de gener de 1967. Va cessar a finals del curs 1972-73.

Va ser acadèmic de la Reial Acadèmia de Farmàcia de Barcelona (1955), cap del Departament d'Hidrologia del Laboratori Municipal de Barcelona, professor de l'Escola del Treball (des del 1934) i també professor químic de l'Instituto Nacional de Toxicología (1957). Va publicar nombrosos treballs a les revistes *ION*, *Afinidad*, *Anales de Bromatología*, *Farmacia Nueva*, *Anales de Física y Química*, *Monitor de la Farmacia*, *Revista de la Reial Acadèmia*, relacionats amb la intoxicació per metanol, reaccions de la tiocarbanilida, pol·lució de l'aire, utilització de nitrats i nitrits en conserves de carn, quimioteràpia de la tuberculosi, anàlisi de conservants orgànics i d'edulcorants sintètics, etc.

En la necrològica publicada per la *Revista de la Reial Acadèmia de Farmàcia* es diu que «[...] en Paco Hernàndez tenia un posat seriós i a primera llampergada feia un cert respecte. Però a mesura que se'l tractava hom s'adonava de que era cordial, rialler i amb un sentit de l'humor que recordava el britànic».

Fotografia 6. El Dr. Hernandez (dreta) acompanyat dels Drs. Lluís Girau Bach i Benet Oliver Suñer, l'any 1956. (LLGB)

Fotografia 7. Francisco Moreno Martín
(1904- 1985) (AFM)

Moreno Martín, Francisco (2/5/1904, El Fargue, Granada - 8/10/1985, Barcelona) (AHUB) (AHUG)(1)(2)(3)(4)(8)

Va cursar el batxillerat i els estudis de Farmàcia (1916-1922) a Granada. Va ser professor auxiliar de la Facultat de Farmàcia (1928-1940) i de l'Escola del Treball de Granada. Durant la guerra del 36, i en el seu vessant militar, va treballar al Laboratorio Químico Farmacéutico del Sur i al laboratori del Col·legi de Farmacèutics. Durant aquest període, va desenvolupar una activitat important relacionada amb la resolució de problemes derivats de la situació bèl·lica: com a cap de l'equip número 6 en la defensa contra els gasos de guerra (preparació de carboni actiu i disseny d'una careta), la reparació del baròmetre de l'aeròdrom d'Armilla (treball del vidre), preparació de bicarbonat sòdic (procediment inèdit, per reacció entre el carbonat humit i l'àcid carbònic), preparació de sulfats de sodi i de magnesi (a partir de dolomita), de nitrat de plata (a partir de monedes i joies), descobriment d'un jaciment d'estronci a Monte Vive, a la província de Granada, etc.

L'any 1940, la convocatòria de 100 places de farmacèutics militars va comportar el seu ingrés a l'Acadèmia de Farmàcia Militar. Ja com a tinent, va ser destinat al Laboratorio y Parque Central, on va desenvolupar tasques docents (professor d'Anàlisi Química) i de recerca i preparació de productes (quinina, iohimbina, insecticida 666, iode, etc.). Així mateix, i davant el desig de treballar amb Casares Gil, l'any 1941 va ingressar com a ajudant especial a l'Instituto Alonso Barba del CSIC, on va investigar sobre la microanalítica del fluor.

Al Taller de Precisión, Laboratorio y Centro Electrotécnico de Artillería, va conèixer Obdulio Fernández Rodríguez (Frías, 1883), que, posteriorment, va ser catedràtic de Química Orgànica a la Facultat de Granada, del qual cal destacar-ne la relació amb el Prof. José M. Clavera Armenteros (Villarroya de la Sierra, Saragossa, 1898), que l'any 1927 va guanyar la càtedra de Tècnica Física i Anàlisi Química de Granada, ja que Moreno el considerava el seu mestre, i que va ser el director de la seva tesi, *Semimicroanálisis completo de leche de mujer, comprendida la dosificación separada de sus proteinas*, llegida l'any 1934 davant d'un tribunal constituït per Casares Gil, Medinaveitia Tabuyo, Martínez Pacheco i Casares López.

L'any 1948 va guanyar la càtedra d'Anàlisi Química i Bromatologia de la Facultat de Farmàcia de la Universitat de Barcelona per oposició, de la qual va prendre possessió el 20 d'abril de 1949. A la Facultat de Farmàcia també va ser degà (1957-1964) i director del Departament de Bromatologia, Toxicologia i Anàlisi Química Aplicada des de l'any 1971 fins que es va jubilar, el 2 de maig de 1974. Durant els primers anys d'estada a Barcelona, també va exercir com a comandant en cap de Farmàcia de l'Hospital Militar.

UNIVERSIDAD LITERARIA DE GRANADA

Facultad de CIENCIAS. Sección de Químicas

PEDIENTE PERSONAL de D. *Francisco Moreno Martín*
natural de *Granada* provincia de *id.*
que nació el *2* de *mayo* de *1904*

TIP. GUEVARA - GR

CURSOS ACADÉMICOS	ASIGNATURAS	EXÁMENES		PREM Y GRADOS
		Ordinarios.	Extraordinarios.	
	Facultad de FARMACIA			
922	Física general	Notable		GRADO DE
	Química general	Sobresaliente	Premio	en el Instituto
	Mineralogía y Bt.ca	Sobresaliente	Premio	*Granada*
1923	Zoología general	Sobresaliente	Premio	
				la calificación
923 a	Técnica física	Sobresaliente y Premio		
1924	Mineralogía y Zoología	Sobresaliente	Premio	
				TÍTULO DE
924 a	Botánica descriptiva	Sobresaliente y Premio		por la Univers
192(	Química inorgánica	Sobresaliente y Premio		*Granada*
				en 4 de n.e
192(	Materia f.ca vegetal	Sobresaliente y Premio		1724 y auto
a	Química orgánica	Notable		los Sres.
1926	Higiene	Sobresaliente y Premio		Secretario gen
192(a	Análisis químico	Sobresaliente y Premio		
1927	Farmacia práctica	Sobresaliente y Premio		

Document 2. Expedient acadèmic del Dr. Moreno Martín
(AHUG)

Moreno Martín va ser *mestre* de molts farmacèutics i generador d'una escola de docents i d'investigadors. Per entendre la seva personalitat i el gran amor que tingué per la docència, ens poden ajudar les respostes a algunes de les preguntes que Castellote (8) va fer-li en una entrevista personal:

«¿Qué es lo que le ha importado más en sus alumnos? -No he pretendido nunca que mis alumnos aprendieran la asignatura, sino sencillamente que se informaran de ella, que supieran que existe el contenido de dicha materia, y luego que cada cual le diese la aplicación que quisiera. Al decidirse, volverían a leer forzosamente, y ampliar lo que les interesara [...]

»¿Cuál ha sido su ideología y concepto del hecho de ser profesor? -Mi ideología como profesor ha sido la de aprender para enseñar. No ha habido cosa que más me haya gustado que enseñar y sé que es la mejor manera de aprender.»

De la seva obra, cal destacar la publicació, juntament amb Carme de la Torre, de les Lecciones de Bromatología (1977). Dels seus treballs podem esmentar els següents: *Extensión de algunos micrométodos analíticos a la dosificación de la lactosa* (Madrid, 1930); *Contribución al estudio de la vanadinita española* (Madrid, 1932); (Granada, Tip. Paulino V. Traveset, 1932); *À propos du microdosage du lactose. Remarques sur la note de C. Fromageot* (París, Masson et Cie., 1933), «Inutilidad del método Levinsón para la dosificación de la urea en la sangre y en la orina» (Granada, *Boletín de la Universidad de Granada*, A, IX); *Microcolesterina en sangre* (Santander, Congreso de la Asociación Española para el Progreso de las Ciencias,1938); «Nuevo picnómetro de alta precisión» (*Anales de la Sociedad Española de Física y Química*, XXXII, 1934); «La microdosificación de la grasa en la leche de mujer» (*Anales de la Sociedad Española de Física y Química*, XXXIII, 1935); «Extracto y microextracto en leche de mujer» (*Anales de la Sociedad Española de Física y Química*, XXXIII); «Micropicnometría de líquidos» (*El Monitor Farmacéutico*, XLII); «Sobre la utilización de la reacción de la ninhydrina en la dosificación de la función amino-ácido» (*Anales de la Sociedad Española de Física y Química*, XXXIII, 1935), entre d'altres. Durant el període a la càtedra de la Universitat de Barcelona, va fer nombroses publicacions juntament amb la Dra. Xirau i amb la Dra. de la Torre.

Als anys quaranta, Moreno va rebre el Premi Alonso Barba, i és prou significatiu per entendre la seva personalitat, que, si bé l'any 1965 el van elegir membre de la Reial Acadèmia de Farmàcia de Barcelona, mai no en prengué possessió. No volia grans honors.

Fotografia 8. Moreno i Clavera al laboratori de la Facultat de Granada, l'any 1936.(AFM)

Document 3. Anunci de les conferències de l'alumnat de Química Analítica a Granada, l'any 1933. És una mostra de la innovació docent de l'època (AFM)

Comida ofrecida al Profesor

DON FRANCISCO MORENO MARTIN

por su triunfo en las oposiciones
a la Cátedra de Análisis
Químico de la Facultad de
Farmacia de Barcelona

MINUTA

CALDO DE PECHUGA
MERLUZA MAHONESA
JAMON CON HABAS
TARTA "LA CAMPANA"
FRUTAS

——o——

VINOS
CAFE
LICORES
HABANOS

Granada, 10 abril 1949

Restaurante MESA

Document 4. Record del dinar celebrat a Granada amb motiu de les oposicions del Dr. Moreno a la càtedra de Barcelona, l'any 1949. (AFM)

Fotografia 9. Moreno amb un grup d'amics a l'Alhambra de Granada, l'any 1949 (AFM)

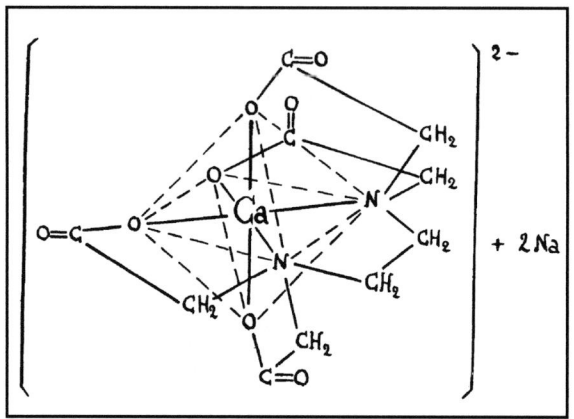

Document 5. *" [...] así se ve la intrincada red en que cayó el calcio, como insecto que toca en tela de araña, y entra por la vista la estabilidad reconocida para estos complejos."*

Fragment de la conferència pronunciada pel Dr. Moreno a la Federación Farmaceutica (curs 1957/58) amb el títol *"El análisis químico en los ensayos farmacéuticos "* (JBR)

Fotografia 10. El Dr. Moreno amb els seus col·laboradors a la càtedra de la Facultat de Farmàcia de Barcelona, l'any 1956. D'esquerra a dreta: Vila, Bocanegra, Moreno Amézcua, Benavent, (?), Barnades, García Peraita i Arranz. (AFM)

NUEVO APARATO
DE SULFHÍDRICO

POR

F. Moreno Martín

(Del «Boletín de la Universidad de Granada», Año IX.—Núm. 46)

GRANADA
Imprenta H.ª de Paulino Ventura
Mariana núm. 81

Document 6. Portada de la separata del treball publicat l'any 1937 al *Boletín de la Universidad de Granada*, IX, 46. (JBR)

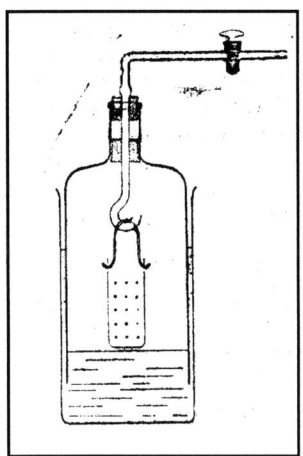

Document 7. Dispositiu per a l'obtenció d'àcid sulfhídric per controlar-ne la difusió en l'ambient de treball, l'optimització dels reactius i la facilitat de manipulació.

SEPARACION CUANTITATIVA DE LOS
GASES F,Si Y CO, MEDIANTE
EL CARBON ACTIVO

POR

F. MORENO MARTIN

Publicado en *Anales de Física y Química*, t. XLI, núm. 402, p. 1304
1945

Documents 8 i 9. Treball publicat l'any 1945 als *Anales de Física y Química* XLI, 402

L'autor proposa un mètode de separació del tetrafluorur de silici mitjançant una *columna* de carboni actiu. Cal reivindicar un lloc en la història de la cromatografia de gasos per a aquest treball (JBR)

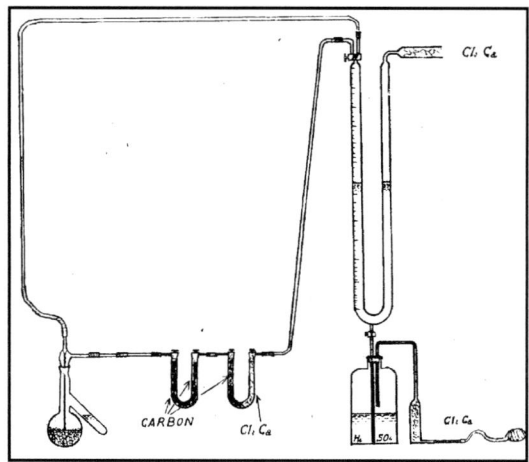

Fotografia 11. M. Carmen de la Torre Boronat.

De la Torre Boronat, M. Carmen (4/10/1932, Barcelona)

Es va llicenciar en Farmàcia per la Universitat de Barcelona (1955) i va obtenir el grau de doctora l'any 1965, amb la presentació de la tesi *Determinación de peque-ñas cantidades de boro y flúor en aguas minerales y vinos*, per la qual va rebre el Premi Extraordinari (1966). L'any 1966 va ocupar una plaça de professora ajudant i l'any següent (1967) va obtenir la de professora adjunta de Bromatologia i Toxicologia davant d'un tribunal constituït pels doctors Amat Bargués, Moreno i Villar Palasí. Va ser professora agregada de Bromatologia (OM 5/3/68), i l'any 1975 va accedir a la càtedra de Bromatologia, Toxicologia i Anàlisi Química Aplicada. La Dra. de la Torre ha estat directora del Departament de Bromatologia, Toxicologia i Anàlisi Química Aplicada durant el període 1978-1987.

Ha estat secretària de la Facultat (1972-1975), quan el degà era el Dr. Guillermo Suárez, i vicedegana (1975-1980), quan el degà era el Dr. Ricardo Granados Jarque. L'any 1979, juntament amb altres professors i professionals de l'àmbit de les ciències dels aliments, va fundar l'Associació Catalana de Ciències dels Aliments (ACCA), de la qual va ser la primera presidenta. És acadèmica de la Reial Acadèmia de Farmàcia de Catalunya i ha rebut diversos guardons, com ara el nomenament de Chevalier du Mérite Agricole du Ministère d'Agriculture de France (1994) i el Premi de la OIV.

Carme de la Torre ha estat directora d'aproximadament 40 tesines de llicenciatu-ra i de 20 tesis doctorals. Del gran nombre de publicacions que té, cal destacar la primera època, en la qual aborda l'estudi d'additius i la conservació d'aliments -colorants, conservants, modificadors de textura, edulcorants, fluor, bor, etc.- (*Medicamenta*, *Circular Farmacèutica*, *Afinidad*). Aquesta època va seguida de les que va dedicar a l'estudi dels greixos (1975-2002), els sucs de fruites (1975-1979) i la toxicologia (1978-1982), i especialment a l'estudi de vins i caves, sobre els quals ha fet publicacions en prestigioses revistes internacionals (*J. Chromat.*, *Am. J. Enol. Vitic.*, *J. Agric. Food Chem.*, *Vitis*, *J. Food Sci.*, *Analusis*, etc.).

Fotografia 12. D'esquerra a dreta Gómez Camaño, Jiménez de Parga (d'esquena), García Marquina (al fons), Moreno i de la Torre, al deganat de la Facultat (aprox. 1975) (JBR)

UNIVERSIDAD DE BARCELONA

FACULTAD DE FARMACIA

CURSILLO ANALISIS DE AGUAS

CATEDRAS de

Análisis Químico Aplicado

Bromatología

Microbiología

Barcelona, 27 de septiembre - 8 de octubre de 1976

DEPARTAMENTO DE BROMATOLOGIA,
TOXICOLOGIA Y
ANALISIS QUIMICO APLICADO.
UNIVERSIDAD DE BARCELONA.

VOCALIA DE ANALISTAS
DEL MUY ILUSTRE COLEGIO OFICIAL
DE FARMACEUTICOS. BARCELONA.

CURSO INTENSIVO
TEORICO - PRACTICO DE
ANALISIS TOXICOLOGICO
DE URGENCIA

Barcelona, 4, 5, 6, 7 y 8 de Octubre, 1982

UNIVERSIDAD DE BARCELONA

Departamento de Bromatología, Toxicología y
Análisis Químico Aplicado

CICLO DE CONFERENCIAS
DE BROMATOLOGIA

Curso Académico 1979-80

Lugar: Aula Magna de la Facultad de Farmacia
Hora: a las 12,30

Documents 10, 11 i 12 -
Informació sobre diferents
cursos i conferències orga-
nitzats pel departament els
anys 1976, 1980 i 1982.
(JBR)

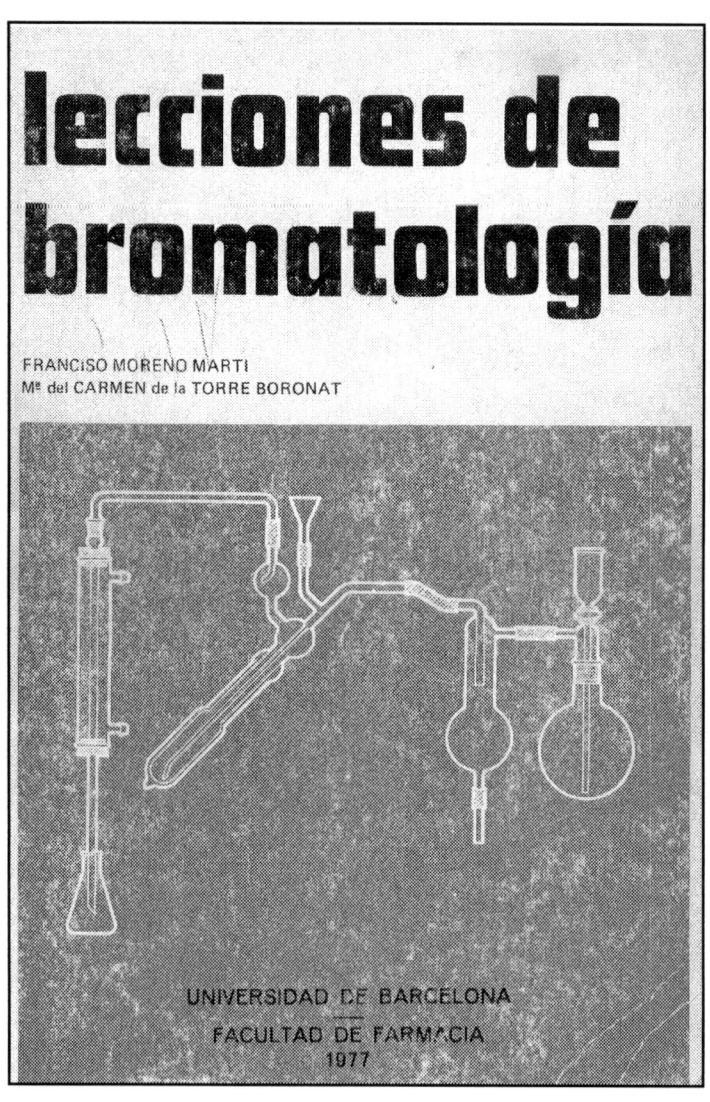

Document 13. Portada del volum I del llibre *Lecciones de Bromatología* (1977). Els anys 1983 (vol. I) i 1988 (vol. II) se'n van publicar les segones edicions.

L'organització: Les càtedres i els departaments

Document 14. *"El precipitado se pasa al filtro, valiéndose primero de una varilla, y de las barbas de una pluma y del frasco lavador después..."*. (Tratado de Análisis Químico, Casares Gil)

L'organització: les càtedres i els departaments

1845-1964

Durant aquest període, l'organització de les universitats se centrava en els conceptes de *facultat* i de les seves *càtedres* corresponents. El Plan General de Estudios (17/11/1845) o Plan Pidal, va representar una peça fonamental en l'organització de la universitat espanyola durant el segle XIX. Va establir una estructura de professorat constituïda per catedràtics (funcionaris públics, seleccionats per oposició i propietaris d'una plaça) i regents (habilitats per a la docència que podien canviar de disciplina per accedir a una càtedra vitalícia). La Ley de Instrucción Pública (9/10/1857) (Ley Moyano) va establir, posteriorment, dos tipus de catedràtics: els numeraris i els supernumeraris. La categoria dels supernumeraris la van suprimir l'any 1882. A partir d'aquesta data, l'estructura del professorat queda establerta en catedràtics i professorat auxiliar, una categoria reglamentada pel RD, de 25 de juny de 1875. L'any 1900 (RD, de 27 de juliol de 1900), es va establir que, per accedir a aquesta categoria, calia superar una oposició.

Un RD de 21 de desembre de 1917 va suprimir la categoria de professorat auxiliar numerari per transformar-la en una figura temporal, amb nomenament del rector, per una proposta de les juntes de Facultat. En aquest mateix decret, s'establia la possibilitat que els degans efectuessin nomenaments d'ajudants de classes pràctiques, sense retribució i per un període d'un any.

L'any 1943 es publica la Ley de Ordenación Universitaria, que introdueix una modificació important perquè estableix una categoria nova, la de professor adjunt (en substitució de l'auxiliar temporal), i a la qual s'accedia mitjançant un concurs oposició davant d'un tribunal constituït per tres catedràtics. El Ministeri en feia el

UNIVERSITAT AUTONOMA DE BARCELONA

FACULTAT DE FARMACIA

nomenament per quatre anys, prorrogables per un altre període igual. D'altra banda, els ajudants de classes pràctiques passaven a gaudir de retribució i aparegué la figura de professor encarregat de càtedra o de curs.

Aquesta era, doncs, l'estructura del professorat durant aquest període. Pel que fa al nostre cas, dins la Facultat de Farmàcia, la càtedra denominada Tècnica Física Aplicada a la Farmàcia i Anàlisi Química i en particular dels Aliments, Medicaments i Verins, la va ocupar J. Casares durant el període 1886-1905. Durant la vacant dels anys 1905-1911, els professors auxiliars numeraris E. Moles i R. Casamada es van encarregar de dur-la endavant fins que, el 1911, R. Casamada va guanyar les oposicions a càtedra. La defunció de Casamada es va

Fotografia 14. La nova facultat de Farmàcia a Pedralbes inagurada l'any 1957. L'Activitat docent s'hi va iniciar el 21 d'octubre.

certificar l'any 1936, però la càtedra va quedar vacant fins que, el 1940, la va ocupar F. Raurich, procedent de la Facultat de Madrid, on havia estat titular de la de Química Inorgànica.

L'any 1944 es produeix la separació de la càtedra, (Ordenación de las Facultades de Farmacia, 7/7/1944). Llavors, F. Raurich va optar per la de Tècnica Física i Fisicoquímica, mentre que F. Moreno, l'any 1949, va ocupar la d'Anàlisi Química Aplicada i Bromatologia.

1965-1970

La Llei 83/1965, de 17 de juliol de 1965 (BOE, de 21 de juliol) crea (art. 1) «una unidad estructural universitaria con el nombre de Departamento, que agrupará a las personas y los medios materiales destinados a la labor docente, formativa e investigadora en el campo de una determinada disciplina o disciplinas afines. Las funciones primordiales de los Departamentos serán las siguientes: a) coordinar las enseñanzas de las disciplinas que lo integran, b) proponer proyectos e investigaciones en equipo, sin merma de la libertad e iniciativa de trabajos personales por parte de los profesores, c) promover el  desarrollo científico y docente de las cátedras implicadas, facilitando su labor y la consecución y distribución de medios, d) servir de enlace entre las cátedras y las autoridades de la Facultad o Secciones».

En base, doncs, a aquesta llei i al Decreto 2011, de 23 de juliol de 1966 (BOE 12/8), d'Ordenación de Departamentos de Facultades de Farmacia, el curs 1965 es crea el Departament de Química Inorgànica i Fisicoquímica de la Facultat de Farmàcia de la Universitat de Barcelona, del qual en va ser el primer cap el Dr. Amat Bargués. Aquest Departament inclou la càtedra d'Anàlisi Química i Bromatologia. Pocs mesos després, el 1966, es modifica aquesta situació (atès que l'adscripció d'aquesta era optativa entre ambdós departaments) i la càtedra passa a formar part del Departament de Bioquímica, que agrupa els ensenyaments de Bioquímica, Bromatologia, Nutrició, Fisiologia Animal i afins, dirigit pel Dr. A. Fraile, mentre que al de Química Inorgànica i Fisicoquímica hi resten, a més d'aquestes dues disciplines, l'Anàlisi Química i les Tècniques Instrumentals. Cal dir que aquests departaments no van desenvolupar, en realitat, cap de les funcions establertes, si bé van representar l'inici del que posteriorment, amb l'LRU, seria l'organització departamental de la universitat i la desaparició de les antigues càtedres.

D'altra banda, en el mateix decret s'estableixen les equiparacions entre discipli-
nes i càtedres (a efectes de concursos). En aquest sentit, i entre d'altres, s'equi-
paren la Bromatologia i la Nutrició.

També en el Decret de 1965 es crea una figura nova de personal docent, la de
professor agregat, situada entre el catedràtic i el professor adjunt. La Dra. M. C.
de la Torre va ocupar la primera agregació de la càtedra l'any 1968.

Així mateix, l'any 1970 es va crear el cos de professors adjunts d'universitat, al
qual es podia accedir mitjançant un concurs oposició d'àmbit nacional (D 2212/75)
(OM 23/9/1976).

1971-1982

L'1 de març de 1971, es publicà al BOE el Decret 320/1971, de 25 de febrer, pel
qual es creava el Departament de Bromatologia, Toxicologia i Anàlisi Química
Aplicada a la Facultat de Farmàcia de la Universitat de Madrid. Per l'interès que
té, reproduïm el text introductori i justificatiu d'aquesta norma:

«Las enseñanzas de Análisis químico aplicado, Bromatología y Toxicología han
figurado en los planes de estudios de la
carrera de Farmacia desde los tiempos más
antiguos, primero en una cátedra con el
nombre de "Análisis químico aplicado a las
Ciencias Médicas", que más tarde se deno-
minó "Análisis químico y en especial de ali-
mentos, medicamentos y venenos", pasando
finalmente a la denominación actual de
"Análisis químico aplicado y Bromatología".

```
DEPARTAMENTO
BROMATOLOGIA, TOXICOLOGIA Y
ANALISIS QUIMICO APLICADO
FACULTAD DE FARMACIA
BARCELONA

BROMATOLOGIA y TOXICOLOGIA
```

»Las disciplinas integradoras de esas enseñanzas se dividieron con fines meramen-
te pedagógicos, ampliándose su contenido. Pero el Decreto dos mil once/mil nove-
cientos sesenta y seis, de veintitrés de julio (Boletín Oficial del Estado de doce de
agosto), sobre ordenación de Departamentos en las Facultades de Farmacia, olvidó
la realidad de la interconexión de aquellas disciplinas, incluyéndolas en dos distintos
Departamentos, salvo la Toxicología, que quedó fuera de cualquier adscripción.

»Parece conveniente hacer uso de la autorización contenida en el artículo cuarto
de la Ley ochenta y tres [...], e incluir las repetidas enseñanzas en un
Departamento único denominado de Bromatología, Toxicología y Análisis Químico
Aplicado.»

Poc temps després (BOE de 29/12/1972), es va publicar una Ordre (de 4 de des-
embre de 1972) per la qual es determina l'aplicació del decret anterior en el cas

dels departaments amb la mateixa denominació de les facultats de Farmàcia de Barcelona, Granada i Santiago.

Cal destacar, d'aquest fet, algunes qüestions certament transcendents. En primer lloc, explica un origen històric semblant de les escoles generades en aquests departaments (Casares a Madrid, Moreno a Barcelona, Varela a Granada i Charro a Santiago). D'altra banda, en el decret esmentat, es reconeix un origen comú d'aquestes disciplines.

El Departament de Bromatologia, Toxicologia i Anàlisi Química Aplicada el va dirigir el Dr. F. Moreno fins que es va jubilar (1974). Posteriorment, el va dirigir la Dra. M. C. de la Torre.

Durant aquest període, s'havia produït un cert desgavell en relació amb la denominació de les places convocades a oposició. Així, en una relació de denominacions -OM de 27 de juliol de 1981 (BOE de 5/9/81) i de 29 de juliol de 1983 (BOE de 24/10/83)- i per equiparacions i analogies, apareixen les denominacions següents: *Anàlisi Química*; *Anàlisi Química Aplicada*; *Anàlisi Química Aplicada i Bromatologia*; *Anàlisi Química Aplicada, Bromatologia i Toxicologia*; *Bromatologia*; *Bromatologia i Toxicologia*; *Bromatologia, Toxicologia i Anàlisi Química*, i *Bromatologia, Toxicologia i Anàlisi Química Aplicada*. Sembla evident que calia ordenar aquesta nomenclatura.

Un fet que va tenir repercussions importants va ser la dotació, l'any 1982, d'una segona càtedra per al Departament. Aquesta càtedra la va ocupar el Dr. Mariné, que va començar a encarregar-se d'impartir les classes d'Anàlisi Química.

1983 - 1997

La promulgació de la Llei de reforma universitària va suposar una nova sotragada per a aquest Departament. En primer lloc, l'aparició de les anomenades *àrees de coneixement* (RD 1888/1984, BOE de 26/10/84), va obligar el professorat a optar, bàsicament, entre tres d'aquestes àrees: Nutrició i Bromatologia, Química Analítica o Toxicologia i Legislació Sanitàries. La majoria del professorat va escollir la de Nutrició i Bromatologia i d'aquesta manera, en constituir-se els nous departaments, i molt especialment a la UB, la Química Analítica, la Bromatologia i la Toxicologia quedaven separades definitivament. La perspectiva històrica d'aquest fet permet concloure, d'una banda, aspectes positius (especialització del professorat en un d'aquells

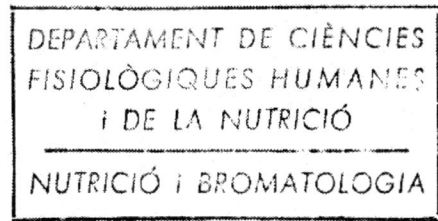

DEPARTAMENT DE CIÈNCIES
FISIOLÒGIQUES HUMANES
i DE LA NUTRICIÓ

NUTRICIÓ i BROMATOLOGIA

tres gran àmbits) però, de l'altra, qüestions conceptualment molt més complexes (responsabilitat docent en noves matèries, pèrdua de pes específic de matèries dins el conjunt de l'ensenyament de Farmàcia, formulació d'objectius diferents per a les mateixes matèries d'ensenyaments diversos, etc.).

L'any 1985 (BOE de 14 de gener), apareix el RD 2360/1984 sobre departaments universitaris, en el qual s'especifica que «Los Departamentos son los órganos básicos encargados de organizar y desarrollar la investigación y las enseñanzas propias de su área de conocimiento respectiva en una o varias Facultades, [...] Son funciones del Departamento *a)* organizar y programar la docencia de cada curso académico desarrollando las enseñanzas propias de su área de conocimiento respectiva [...], *b)* Organizar la investigación relativa a su área de conocimiento respectiva, *c)* organizar y desarrollar los cursos de doctorado en su área respectiva [...], *d)* promover y realizar trabajos de carácter científico, técnico o artístico, así como desarrollar cursos de especialización [...], *e)* impulsar la renovación pedagógica, científica [...] de sus miembros, *f)* cualesquiera otras funciones que específicamente le atribuyan los Estatutos de la Universidad [...]».

En base a aquests aspectes, la UB va aprovar la creació del Departament de Ciències Fisiològiques, Humanes i de la Nutrició, que agrupava les àrees de Bioquímica, Fisiologia i Nutrició i Bromatologia (amb el professorat corresponent de les facultats de Farmàcia i Medicina), el de Química Analítica i el de Toxicologia i Salut Pública.

Durant aquest període, els caps de Departament van ser el Dr. F. Garcia-Hegardt (Bioquímica de Farmàcia), el Dr. C. Mezquita (Fisiologia de Medicina) i la Dra. R. Cussó (Bioquímica de Medicina).

D'altra banda, amb l'LRU va establir-se una estructura del professorat nova. Catedràtics i titulars (abans eren *adjunts*) van passar a formar part del conjunt del professorat anomenat *ordinari* i la figura del professor agregat va desaparèixer, encara que es van mantenir els ajudants i els professors associats.

Amb relació a la recerca, cal dir que per Resolució de 23/11/1994, del Comissionat per a Universitats i Recerca de la Generalitat de Catalunya (DOGC 5/12/94), es va aprovar la constitució del Centre de Recerca en Tecnologia dels Aliments, del qual en van formar part la Unitat de Tecnologia d'Aliments (UAB), la Unitat d'Enologia (URV), la Unitat de Recerca Alimentària (IRTA), la Unitat de Tecnologia Agroalimentària (UdG), la Unitat de

CeRTA
Centre de Referència
en Tecnologia d'Aliments
de la Generalitat de Catalunya

Unitat de Nutrició i Bromatologia

Nutrició i Bromatologia (UB), la Unitat de Productes Vegetals (UdL) i la Unitat Postcollita (Inst. Univ. Lleida).

1997-

Certament, el Departament de Ciències Fisiològiques, Humanes i de la Nutrició, tenia unes dimensions que el feien molt poc operatiu des d'un punt de vista organitzatiu. A tall d'exemple, l'any 1996 integrava 64 professors ordinaris, 15 ajudants i 23 professors associats. És per això, entre altres qüestions com ara l'existència d'un fort debat a tota la UB entre les funcions dels departaments i de les facultats, que, finalment, la Junta de

Divisió de Ciències de la Salut
Facultat de Farmàcia
Departament de Nutrició i Bromatologia

UNIVERSITAT DE BARCELONA

Govern de la UB va aprovar, el 12 de novembre de 1997, la divisió d'aquest Departament i la creació de l'actual, amb la denominació de *Nutrició i Bromatologia*, del qual fins avui el Dr. A. Mariné n'ha estat el cap.

Fotografia 15. Imatge exterior de la Facultat des del vestíbul de l'edifici principal (JBR)

El professorat i altre personal

Fot. 16. Antonio
Colomer Pujol (AHUB)

Fot. 17. Amadeu Rifà
Davi (AHUB)

Fot. 18. Salvador Tayà
Filella (AHFF)

Fot. 19. Jesús Isamat
Vila (LLGB)

El professorat i altre personal

Des de l'època en què el Dr. Casares Gil va guanyar la càtedra, i fins a l'actualitat, la relació del professorat de les diverses categories i del personal no docent dels quals hem pogut obtenir dades és la següent:

Casares Gil, José (1866, Santiago de Compostel·la - 1961, Santiago de Compostel·la). (☞ Personatges).

Roca Chillida, Enric (1898, Useras - ?).

Moles Ormella, Enrique (1983, Barcelona - 1953, ?). (☞ Personatges).

Casamada Mauri, Ramón (1874, Sant Esteve de Castellar - 1936, Barcelona). (☞ Personatges).

Rifé Daví, Amadeo (1896, Sabadell - 1965, Lisboa). Ajudant d'Anàlisi Química (1934-1938). Tècnic del Laboratori Municipal. Inspector regional d'estupefaents. Probablement, va explicar l'assignatura durant els inicis de la guerra civil.

Colomer Pujol, Antonio (1896, Barcelona - ?). Professor auxiliar temporal de Tècnica Física (1927-1936). Probablement, va explicar l'assignatura durant els inicis de la guerra civil.

Brugués Escuder, Casimiro (1863, Barcelona - ?). Professor ajudant (1889). Professor auxiliar (1910-1933). Va ser acadèmic de la Reial Acadèmia de Medicina i Cirurgia (1925).

Tayá Filella, Salvador (1882, ? - 1936, Barcelona). Professor auxiliar interí (1917-1918). Professor auxiliar numerari de Tècnica Física i Anàlisi Química. Va ser secretari de la Facultat fins a l'any 1936, sotsdelegat de Farmàcia i membre de les societats químiques d'Alemanya i dels Estats Units.

Ferré Serra, Luis Gonzaga (1906, Barcelona - ?). Encarregat de l'auxiliaria de la càtedra d'Anàlisi Química (1940). Professor auxiliar temporal d'Anàlisi Química (1940-1944).

Isamat Vila, Jesús (1895, Olot - 1981, ?). Professor ajudant (1926-?). Va ser secretari de Facultat, mentre era degà el doctor Moreno; professor adjunt de Farmàcia Galènica i encarregat de la càtedra d'Història.

Raurich Sas, Fidel Enrique (1892, Barcelona - 1978, Barcelona). (☞ Personatges).

Hernández Gutiérrez, Francisco (1905, Barcelona - 1991, Barcelona). (☞ Personatges).

Moreno Martín, Francisco (1904, El Fargue - 1985, Barcelona). (☞Personatges).

Garcia Peraita, Primitivo (1923, Barbadillo del Pez, Burgos - ?). Professor ajudant (1953-1954).

Vila Prat, Maria (1925, Barcelona). Professora ajudant (vers el 1955).

Bocanegra Moregó, Maria (1925, Barcelona). Professora ajudant (vers el 1955).

Barnadas Trias, Raimundo (1923, Barcelona). Professor ajudant (vers el 1950).

Benavent Seguí, Miguel (1924, Benigànim). Encarregat provisional de l'Adjuntia de Bromatologia i Toxicologia (1960-1967).

Fot. 20. Primitivo García
Peraita (AHUB)

Fot. 21. Raimundo
Barnadas Trias (AHFF)

Fot. 22. Miguel
Benavent Seguí (AHFF)

Fot. 23. Maria Vila Prat
(AHFF)

Fot. 24. Maria Comas
Font (AHFF)

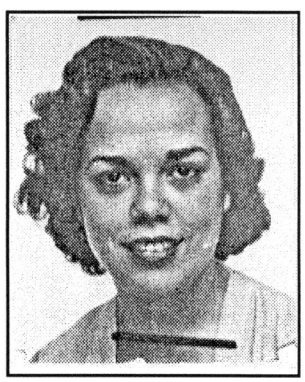

Fot. 25. Maria Xirau
Vayreda (AHFF)

Moreno Amézcua, M. Antonia (1934, Benalúa de Guádix) . Professora ajudant (1969-1974).

Cruz Montagut, Luis. (?) Ajudant (1959-1963 ?).

Comas Font, Maria (1927, Terrassa). Ajudant d'Anàlisi Química (1951-1973) i col·laboradora del Departament durant molts anys.

Torre Boronat, M. del Carmen de la (1932, Barcelona). (☞ Personatges).

Xirau Vayreda, Maria (1932, Figueres). Ajudant d'Anàlisi Química (1960-1972). Professora adjunta interina (1973). Professora adjunta d'Anàlisi Química Aplicada (1973-2002). Amb la constitució dels nous departaments (1985) va quedar adscrita al de Química Analitica.

Moreno Amézcua, Francisco (1936, Granada). Professor ajudant (1959-1969). Professor adjunt de Bromatologia (1969).

Mariné Font, Abel (1943, Badalona). Professor ajudant de Bromatologia i Toxicologia (1969-1975). Professor adjunt (1974). Professor adjunt de Bromatologia i Toxicologia (1976). Professor Agregat (interí) a Salamanca (1973-1975). Professor Agregat a Salamanca (1976-1978). Catedràtic a la Facultat de Salamanca (1978-1982) i de la de Barcelona (Bromatologia, Toxicologia i Anàlisi Química Aplicada (segona càtedra) (1982-). Degà de la Facultat (1985-1986). Vicerector de recerca (1986). Director General d'Universitats de la Generaliat de Catalunya (1986-1990). Cap de Departament (1999-).

Farré Rovira, Rosaura (1947, Barcelona). Professora ajudant (1970-1975). Professora adjunta interina d'Anàlisi Química Aplicada i Bromatologia (1975-1976). Professora adjunta (1976). Professora agregada d'Anàlisi Química Aplicada i Bromatologia (1978-1981). Catedràtica, a la Universitat de València, de la càtedra de Bromatologia, Toxicologia i Anàlisi Química Aplicada (1981-).

López de Salazar García, Eduardo (?). Professor ajudant (vers 1965).

Serrat Vilardell, M. Luisa (1948, Les Lloses). Professora ajudant (1971-1972).

Méndez Mateu, Isabel (1948, Barcelona). Professora ajudant d'Anàlisi Química (1973-1977). Professora adjunta interina d'Anàlisi Química Aplicada (1977-1980).

Boatella Riera, Josep (1948, Barcelona). Professor ajudant (1974-1975). Professor adjunt interí (1977). Professor agregat interí (1975). Professor agregat de Bromatologia i Toxicologia a Santiago de Compostel·la (1981) i a Barcelona (1983). Catedràtic (1983). Vicedegà (1985-1987 i 1992-1995). Vicepresident de la Divisió de Ciències de la Salut (1988-1991) i degà de la Facultat (1995-2000).

Bartolomé Padrós, Ramon (1951, Sabadell). Professor ajudant d'Anàlisi Química Aplicada i Bromatologia (1974-1980).

Pujol Forn, Martí (1943, Sant Celoni). Professor adjunt interí de Bromatologia i Toxicologia (1976-1983). Professor adjunt d'Anàlisi Química Aplicada i Bromatologia (1983-1985).

Codony Salcedo, Rafael (1953, Barcelona). Professor ajudant (1977). Professor adjunt interí d'Anàlisi Química Aplicada (1981-1982). Professor titular contractat (1983-1984). Professor titular d'Anàlisi Química (1985-).

Lugar Abril, Leandro (1944, Barcelona). Ajudant d'Anàlisi Química Aplicada i Bromatologia (1975-1978). Professor adjunt interí de Bromatologia i Toxicologia (1981-1987). Professor associat de Nutrició i Bromatologia (1987-1990).

Fotografia 26. M. Xirau, M. A. Moreno, F. Moreno i A. Mariné (dreta) amb un grup d'alumnes al laboratori del departament, el curs 1971 - 1972. (AMF)

Fotografia 27. D'esquerra a dreta: I. Méndez, J. Boatella, M.D. Torelló, C. Busquets, J. Rodas, E. Sancho, L. Lugar, R. Farre, I. Ameneiro, M. Pujol, C. de la Torre (aprox. 1979) (JBR)

Díaz Vázquez, Milagros (1949, La Corunya). Professora ajudant d'Anàlisi Química i Bromatologia (1975-1976).

Garrabou Gomà, Manuel (1951, Sabadell). Professor ajudant d'Anàlisi Química. (1974-1975).

Rodas Loperena, José (1950, Barcelona). Professor ajudant d'Anàlisi Química Aplicada i Bromatologia (1975-1985).

Rafecas Martínez, Magdalena (1955, Barcelona). Professora ajudant (1978-1986). Professora titular (1986-).

Aguado Blanco, Gloria (1951, St. Just Desvern). Professora ajudant d'Anàlisi Química i Bromatologia (1977-78).

Buxaderas Sánchez, Susana (1953, Barcelona). Professora ajudant d'Anàlisi Química Aplicada i Bromatologia (1977-1983). Professora adjunta interina d'Anàlisi Química (1983-1986). Professora titular (1986-).

Castellote Bargalló, Ana Isabel (1951, Bogotà). Professora ajudant d'Anàlisi Química Aplicada i Bromatologia (1977-1987). Professora associada (1987-1988). Tècnic superior (2000-).

Ibars Alonso, Maria (1952, Sabadell). Professora ajudant d'Anàlisi Química Aplicada i Bromatologia (1976-1978).

Torelló Llopart, Dolores (1953, Barcelona - ?). Professora ajudant d'Anàlisi Química Aplicada i Bromatologia (1976-1978).

Domènech Montagut, Montserrat (1953, Barcelona). Professora ajudant d'Anàlisi Química Aplicada i Bromatologia (1977-1981).

Messeguer Soler, Isabel (1954, Casp). Professora ajudant d'Anàlisi Química Aplicada i Bromatologia (1977-1986). Professora associada de Nutrició i Bromatologia (1987-1991). Professora associada i professora titular de Nutrició i Bromatologia a Alcalá de Henares (2001).

Fernández López, Concepción (1956, Sta. Cruz de Tenerife). Professora ajudant de Bromatologia, Toxicologia i Anàlisi Química Aplicada (1981-1988).

Morros Viñoles, Rafael (1955, Barcelona). Professor ajudant d'Anàlisi Química (1978-1980).

Pérez Saez, José Luis (1953, Quel, Logronyo). Professor ajudant d'Anàlisi Química Aplicada i Bromatologia (1977-1980).

Gómez Piñol, José M. (1957, Gavà). Professor ajudant d'Anàlisi Química (1980-1981) i de Bromatologia i Toxicologia (1982-1985). Professor associat de Nutrició i Bromatologia (1987-1989).

Zango Díaz, José Manuel (1956, Càceres). Professor ajudant (1983-1985).

Termes Esteller, Juan (1954, Barcelona). Professor ajudant d'Anàlisi Química Aplicada i Bromatologia (1980-1981).

Monico Pifarré, Amàlia (1948, Les Borges Blanques). Professora ajudant de Bromatologia, Toxicologia i Anàlisi Química Aplicada (1984-1994). Professora titular d'Escola Universitària a la UdL (1995-).

Vidal Carou, M. Carmen (1960, La Corunya). Professora ajudant (1983-1987). Professora associada (1987-1989). Professora titular de Nutrició i Bromatologia (1990-).

López Sabater, Carmen (1956, Morella). Professora ajudant (1980-1986). Professora titular de Nutrició i Bromatologia (1986).

Permanyer Fábregas, Juan Javier (1953, Barcelona). Professor ajudant d'Anàlisi Química Aplicada i Bromatologia (1977-1985). Encàrrec de curs (1986-87). Professor associat (1987-1993). Professor titular de Nutrició i Bromatologia (1993-).

Izquierdo Pulido, M. Luz (1964, Barcelona). Professora ajudant (1989-1995). Professora associada (1995-1997). Professora titular de Nutrició i Bromatologia (1997-).

Veciana Nogués, Teresa (1964, Móra la Nova). Professora ajudant (1990-1996). Professora titular de Nutrició i Bromatologia (1997).

López Tamames, Elvira (1969, Barcelona). Professora ajudant (1990-1995). Professora associada (1995-1997). Professora titular de Nutrició i Bromatologia (1997-).

Guardiola Ibarz, Francesc (1965, Manresa). Professor ajudant (1992-1997). Professor associat (1997-2001). Professor titular de Nutrició i Bromatologia (2001-).

Lamuela Raventós, Rosa (1963, Barcelona). Professora ajudant (1990-1994). Professora titular de Nutrició i Bromatologia (2001-).

Parcerisa Egea, Javier (1963, Pont de Vilomara). Professor ajudant (-1999).

Montfort Bolívar, Josep M. (?). Professor associat substitut provisional (1994-1995).

Arnau Arboix, Jacint (?). Professor associat substitut (1995-1996).

Farran Codina, Andreu (1965, Barcelona). Professor associat substitut (1996).

Riera i Valls, Enric (1942, El Masnou). Professor associat (1994-).

Garcia Cruset, Sandra (1971, Vilafranca). Professora associada substituta (1996).

Illera Fontanet, Miquel (1971, Barcelona). Professor associat substitut (1996).

Andrés Lacueva, Cristina (1968, Barcelona). Professora associada substituta (1996-1999). Professora ajudant (1999-).

Torralba Arrufat, Xavier (?). Professor associat substitut (1997).

López Alegret, Pedro (1943, Barcelona). Professor associat (1997-).

Cardona Pera, Daniel (1949, ?). Professor associat (2001-).

Bover Cid, Sara (1972, Barcelona). Professora associada (2000-).

Alemany Lamana, Mariano (1946, Barcelona). Catedràtic de Bioquímica (1980). Canvi d'àrea de coneixement (2001). Adscripció (15/5/2002).

Fernández López, José A. (1961, Sant Gregori). Professor titular de Bioquímica i Biologia Molecular (1994). Canvi d'àrea de coneixement (2001). Adscripció (15/5/2002).

Remesar Betlloch, Xavier (1954, Barcelona). Professor titular de Bioquímica i Biologia Molecular (1985). Canvi d'àrea de coneixement (2001). Adscripció (15/5/2002).

Ibern Gómez, Maite (1973, El Prat de Llobregat). Professora associada (2002).

Gimeno Creus, Eva (1974, Barcelona). Professora associada (2002).

Personal no docent

Rodríguez. Bidell a l'època del doctor Raurich.
Gimeno i Hernán, Miguel. Bidell a l'època del doctor Moreno.
Moreno Fernández, Pilar. Administrativa.
Gippini López de Rego, Felisa. Administrativa (vers el 1960-1970).
Álvarez Pérez, M. Pilar. Administrativa (-1974).
Aymamí Bidó, Montserrat. Administrativa de Departament (1974-).
Martínez, Fernanda. Personal de neteja (vers el 1970).
Garcia Fernández, Teresa. Personal de neteja (vers el 1978).
Ruiz Benavente, Rafael. Mosso de laboratori (-1991).
Sánchez Muñoz, Trinidad. Personal de neteja (vers el 1982).
Lasheras Martínez, Francisco. Mosso de laboratori (-1998).
Gómez Canora, Fernando. Tècnic de laboratori (1992-).
Pérez Roel, Natalia. Administrativa de suport (1998).
Garcia Cabello, Isabel. Administrativa de suport (1998).
Carbó, Pedro. Administratiu de suport (1999-2001).
Hernández Rus, Fina. Administrativa de suport (2000-).

La docència

Fotografia 28. Oleguer Boatella Terra, pare de l'autor, al laboratori de química de la Facultat de Farmàcia (aprox. 1922) (JBR)

Fotografia 29. Laboratoris del Departament a la Facultat de Pedralbes fins als anys vuitanta.

La docència

1845

Quan l'any 1845 es van crear les facultats de Farmàcia, no hi havia cap assignatura diferenciada d'Anàlisi Química. Uns anys més tard (1860), la publicació de les *Ordenanzas para el Ejercicio de la Farmacia, comercio de drogas y venta de plantas medicinales* obligava el farmacèutic a disposar de coneixements en aquest camp: «[...] se hallan obligados a reconocer científicamente su naturaleza y estado (medicamentos o productos medicinales químicos) [...]». No va ser fins l'any 1886 que es va publicar un pla d'estudis nou (24/9/1886) que contenia, finalment, l'assignatura Anàlisi Química i en particular d'Aliments, Medicaments i Verins. Cal recordar, per la seva transcendència, aquesta denominació, atès que serà una peça fonamental en el desenvolupament posterior de disciplines noves, generades, per tant, a les facultats de Farmàcia, com ara la Bromatologia i la Toxicologia. Juntament amb aquesta assignatura, n'apareix una altra, Estudi dels Instruments i Aparells de Física d'Aplicació a la Farmàcia, que anirà sempre molt lligada a l'anterior. Fins i tot, en la convocatòria de les primeres càtedres (GM 9/1886), es van refondre en una de sola amb la denominació de Tècnica Física Aplicada amb les seves Pràctiques i d'Anàlisi Química i en particular d'Aliments, Medicaments i Verins amb Pràctiques de Laboratori. Qui va ocupar per primera vegada aquesta càtedra a la Facultat de Farmàcia de la Universitat de Barcelona va ser, precisament, el Dr. José Casares Gil (1889).

Amb anterioritat, i pel Decret de 17/9/1845, l'Anàlisi Química, amb un enfocament bromatològic i toxicològic (Anàlisi Química dels Aliments, les Begudes i les Aigües Minerals i Substàncies Verinoses, amb les Qüestions amb què té Relació aquesta Anàlisi), era una disciplina pròpia dels estudis de doctorat i, per tant, només s'impartia a la Facultat de Farmàcia de la Universitat de Madrid (anomenada aleshores Universitat Central).

Com a dada d'interès, podem fer constar que, durant el curs 1888-89, cursaven els estudis de Farmàcia, a la Facultat de Barcelona, un total de 382 alumnes (9).

Cal destacar que, per aquella època, els catedràtics de Química de les facultats de Farmàcia havien adquirit un gran prestigi dins el camp de l'anàlisi, com ho demostren personatges de tanta rellevància com ara Bernabé Dorronsoro (Granada), Miguel María Sojo (Santiago de Compostel·la) i Fausto Garagarza (Madrid), a més de Casares, que van crear diverses escoles en aquest camp. León Villanúa (3) destaca aquest fet de la manera següent: «[...] recordaré lo que nos cuenta Menéndez y Pelayo: "Cuando en 1845 se inició la restauración de la enseñanza, creándose las Facultades de Ciencias y la Academia, hubo que echar mano de los únicos elementos que existían, valiosísimos algunos, pero casi todos de ciencia aplicada. No había más químicos que los de la Facultad de Farmacia,

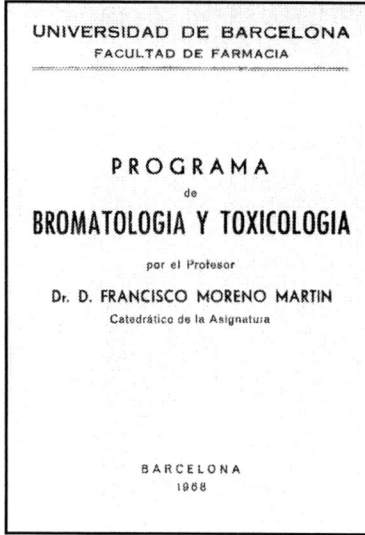

Document 15

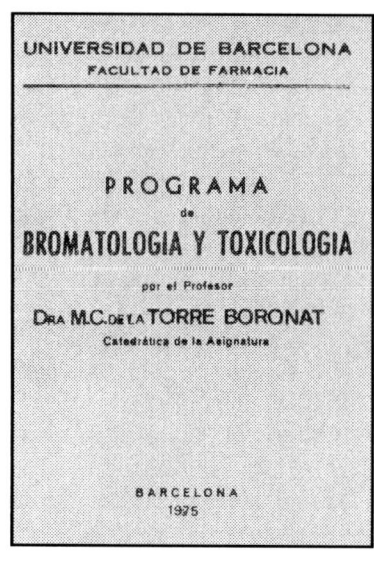

Document 16

UNIVERSIDAD DE BARCELONA
FACULTAD DE FARMACIA

PROGRAMA

BROMATOLOGIA
4.º Curso

Departamento de Bromatología, Toxicología
y Análisis Químico Aplicado
1978

Document 17

UNIVERSITAT DE BARCELONA
Facultat de Farmàcia

BROMATOLOGIA

4art. CURS

Curs 1988-89

Document 18

ni otros matemáticos que los ingenieros, ni otros astrónomos que los oficiales de la Armada"».

En comentar aquest període, és necessari fer referència al fet que paral·lelament s'iniciava el desenvolupament de la Bromatologia i de la Tecnologia dels Aliments a les escoles de Veterinària. Efectivament, quan els reials col·legis de Veterinària (creats el 1792) es van transformar en escoles (en passar a dependre del Ministeri de Comerç i d'Instrucció Pública, l'any 1847), es va crear una assignatura denominada Policia Sanitària que incloïa continguts d'Higiene dels Aliments (10).

1935

L'any 1935 es va produir un fet amb repercussions de futur importants. Atenent a la petició de les facultats de Farmàcia «[...] solicitando la creación de la Cátedra de Bromatología y Toxicología desglosándolas de las materias correspondientes a las de Análisis Químico y en particular [...]», el Ministeri d'Instrucció Pública i Belles Arts estableix que aquesta disciplina nova formi part de les matèries obligatòries del cinquè curs del Pla d'estudis (12/9/1935). No cal dir que amb aquesta ordre es donava el reconeixement legal a unes disciplines noves, la Bromatologia i la Toxicologia.

De fet, en el *pla model* per a la llicenciatura en Farmàcia, elaborat el 1934 per la Universitat Autònoma, ja es contemplava aquesta opció amb l'establiment de les assignatures Anàlisi Química Mineral, Qualitativa i Quantitativa (grup tercer), Toxicologia, i Bromatologia (grup cinquè).

Pel que fa al nombre d'alumnes de la Facultat, havia augmentat considerablement a finals de la dècada dels anys vint (1434, el curs 1928-29; 1621, el 1929-30), si bé a partir de 1931 va disminuir d'una manera molt notable (481, el 1931-32; 233, el 1934-35) (9).

1944

L'any 1943 es va establir una reforma del sistema universitari mitjançant la Ley de Ordenación Universitaria (29/7/1943), en la qual les facultats es mantenien com a òrgans bàsics en l'organització de la institució universitària i, en aquest mateix sentit, el 7 de juliol de 1944 es va fer pública la Ley de Ordenación de la Facultad de Farmacia.

En la introducció justificativa, es feia referència a la necessitat d'atorgar la importància deguda a *noves ampliacions* dels àmbits de la Farmàcia i de la Química i de les seves relacions *particulars* amb la Biologia (Bioquímica, Fisiologia Animal i Vegetal), com a components del concepte de Farmàcia, i afegia: «La preocupación de los actuales momentos por los importantísimos problemas de la alimentación de los pueblos y de la finalidad de lograr un nivel cada día más elevado en el índice de salud individual y colectiva de los españoles, se proyectan en el servicio que la Farmacia rinde a nuestro destino nacional, con su aportación a la tarea de crear generaciones fuertes y robustas para el orgullo y la defensa de la Patria».

Amb aquesta reglamentació, es va publicar un pla d'estudis nou (23/10/1953, BOE de 12/11/1953) en el qual hi consten, entre d'altres, les assignatures següents: Anàlisi Química Aplicada (3r curs) i Bromatologia i Toxicologia (5è curs).

És interessant de destacar que en el mateix Decret, i a fi i efecte d'«orientar els llicenciats en les funcions professionals», s'estableix que les facultats de Farmàcia organitzaran cursos d'especialització, entre els quals cal destacar el d'Anàlisis Bromatològiques i el de Química Toxicològica. Efectivament, a finals de la dècada dels anys cinquanta, el Dr. Moreno dirigia un curs (Anàlisis Bromatològiques) que, a més, tenia validesa a l'Escola de Bromatologia de Madrid.

L'Escola de Bromatologia de la Facultat de Farmàcia de la Universitat de Madrid es va crear per l'Ordre de 10/9/1954 (BOE de 24/9/1954), per a «la investigación, estudio, enseñanza y formación profesional de aquellos postgraduados que deseen especializarse en las técnicas de fabricación de alimentos». N'era director el catedràtic de la Facultat de Madrid i el Pla d'estudis estava integrat per les disciplines següents: Tecnologia Aplicada (I i II), Bromàtica, Toxicologia Aplicada, Nutrició, Indústries de la Fermentació, Racionament i Dietologia, Legislació i Economia Aplicades.

Finalment, aquest decret introdueix una modificació important: reglamenta l'obtenció del títol de doctor. Aquest grau es podia obtenir mitjançant l'assistència a tres cursos d'especialització i a un d'una altra Facultat i amb la redacció d'una tesi doctoral. En qualsevol cas, «[...] mientras subsista la disposición transitoria cuarta de la Ley de Ordenación de la Universidad Española (será preciso que el Ministerio autorice por decreto a cada Universidad cuando estime que ha alcanzado plenamente la debida organización), (la Tesis) será sometida a un tribunal formado en Madrid por cinco catedráticos de las disciplinas correspondientes».

Pel que fa al nombre d'alumnes de la Facultat, a partir de 1940 es va iniciar una tendència d'augment constant que va fer que dels 607 de l'any 1940 s'arribés fins als 4211 durant el curs 1977-78 (9).

1965

Com a conseqüència de la celebració de l'Assemblea de les facultats de Farmàcia, el Ministeri d'Educació Nacional va publicar, l'any 1965, un pla d'estudis de Farmàcia nou (D 1684/1965, de 3/6/1965, BOE 26/6/1965) en el qual apareix un concepte nou en aquests estudis: l'optativitat. Mentre Anàlisi Química (3r curs) manté el seu caràcter obligatori, el Pla d'estudis introdueix dues opcions (A i B) al 4t curs. En l'opció A, hi figura l'assignatura de Bromatologia i Toxicologia.

A partir d'aquesta data, en passar el període de llicenciatura de sis a cinc cursos, es va establir l'opció d'obtenir el grau de llicenciat mitjançant un examen (prova escrita) o bé una tesina (treball experimental) en un departament. Aquesta normativa la va modificar l'OM de 25/1/78 (BOE de 16/5/78) i l'OM de 14/3/1983 (BOE de 10/5/1983). La possibilitat d'obtenir el grau de llicenciat va desaparèixer amb l'aprovació del Pla d'estudis de 1992.

Durant els anys seixanta, el Departament continuava impartint el curs d'especialització, amb la denominació Anàlisis d'Aliments.

1973

El 1973, es produeix una nova reforma dels plans d'estudis. Així, per la Resolución de la Dirección General de Universidades de 26/7/1973, es determinen les directrius que han de seguir els plans i d'entre aquestes cal destacar que s'introdueix el concepte de cicles (d'acord amb la Ley General de Educación). Així doncs, en el primer cicle hi figura Anàlisi Química i en el segon, Bromatologia. El primer cicle del estudis de Farmàcia es va aprovar per la Resolución   de 13/11/1973 (BOE de 18/12/1973).

L'any 1976, les càtedres d'Anàlisi Química Aplicada, de Bromatologia i de Microbiologia van organitzar conjuntament un curs d'Anàlisi d'Aigües.

1977

D'acord amb les directrius generals, i mitjançant una OM (1/10/1977), s'aprova el Pla d'estudis (segon cicle) de la Facultat de Farmàcia de la Universitat de Barcelona. La novetat d'aquest Pla rau en l'aparició de sis orientacions (ecològica i de sanitat ambiental, analiticoclínica, industrial, productes naturals, bioquímica, farmàcia pràctica). La Bromatologia manté el seu caràcter troncal (d'acord amb les directrius); la Toxicologia forma part de l'orientació analiticoclínica, i una assignatura nova, Anàlisi i Control de Medicaments (impartida pel Departament), de l'orientació industrial.

Al llarg de la dècada dels setanta, el Departament va iniciar una etapa d'una forta col·laboració amb l'entorn professional. Ho demostra el «Ciclo de conferencias de Bromatología», destinat a l'alumnat d'aquesta disciplina i amb la participació de prestigiosos professionals (Luis González Vaqué, Salvador Codina, Robert Xalabarder, Àngels Padró, Quintana, Benet Oliver, Teresa Benavent, Josep

M.Cendrós, etc.). Així mateix, l'any 1982 va organitzar conjuntament amb el Col·legi Oficial de Farmacèutics de Barcelona, un important curs Intensiu Teoricopràctic d'Anàlisi Toxicològica d'Urgència . Finalment, d'aquest període cal destacar que, a iniciativa de la Dra. M. C. de la Torre, l'any 1979 es va constituir l'Associació Catalana de Ciències de l'Alimentació (ACCA), que va reunir científics i professionals de la indústria alimentària catalana. Uns anys més tard, l'Associació va ser acollida, com a filial, per l'Institut d'Estudis Catalans.

Ja amb l'estructura departamental nova, el curs 1986-87 es va començar a impartir el Curs Superior en Ciències de l'Alimentació: la Qualitat dels Aliments, que en el decurs dels anys va canviar la seva durada i denominació: Ciències de l'Alimentació i de la Nutrició (1987-88), Màster en Ciències de l'Alimentació i la Nutrició (1988-89 i 1989-90), Màster en Nutrició i Ciències dels Aliments (1990-92, 1992-94 i 1994-96). D'altra banda, a partir d'aquest període, la participació dels membres del Departament en diversos cursos de postgrau, cursos d'estiu, etc., va ser molt intensa.

A títol indicatiu de l'època, durant el curs 1982-83 hi havia 487 estudiants matriculats a l'assignatura d'Anàlisi Química i 427 a la de Bromatologia, sobre un total d'aproximadament 3100 alumnes que hi havia a tota la Facultat.

D'altra banda, el curs 1985-86, el Departament impartia els cursos monogràfics de doctorat següents: Control i Anàlisi d'Aliments (Boatella), Tecnologia d'Aliments (Co-dony), Toxicologia Alimentària (Lugar), Legislació Alimentària (Mariné), Química i Bioquímica dels Aliments (De la Torre) i Problemes Actuals en l'Anàlisi d'Aigües (Xirau).

Aquest mateix curs, es va publicar un decret (RD 185/85) que regulava els estudis de doctorat, en el qual s'introduïa, com a aspecte més destacable, el concepte de *programa de doctorat*, que passava a ser responsabilitat dels departaments. La nostra *unitat*, que aleshores formava part del Departament de Ciències Fisiològiques Humanes i de la Nutrició, va organitzar un *programa*, conjuntament amb la de Tecnologia d'Aliments de la Universitat Autònoma (Bellaterra).

Dins d'aquest apartat, corresponent als estudis de tercer cicle, cal comentar que el desenvolupament de la Nutrició dins les facultats de Farmàcia va comportar que, l'any 1982, en el decret de creació dels títols de farmacèutic especialista (RD 2708/1982, BOE de 30/10/82), aparegués una especialitat en Nutrició i Dietètica, que això no obstant i fins a aquesta data, no s'ha posat en marxa.

1992

En virtut de l'autonomia universitària i com a conseqüència de la publicació de la Ley de Reforma Universitária (LRU) l'any 1983, de les Directrices generales comunes de los planes de estudio de los títulos universitários (RD 1497/1987, BOE de 14/12/1987) i del RD 1464/1990 (BOE de 20/11/1990) pel qual «se estableix el título universitario oficial de licenciado en farmacia y las directrices generales propias de los planes de estudios conducentes a la obtención de aquél», la Universitat de Barcelona va aprovar un pla d'estudis nou per a la llicenciatura en Farmàcia (BOE 23/1/1993).

En aquest cas, s'han de destacar algunes qüestions particulars. En primer lloc, el procés de reforma es va emmarcar en l'existència d'una Directriu Comunitària, de 16/9/1985 (85/432/CEE, DOCE núm. L, 253/24/9/85), que estableix les disciplines que ha d'incloure aquesta titulació. Entre aquestes disciplines hi figuren la Química Analítica i la Toxicologia, però, per contra, la Bromatologia, no. Semblava que aquesta darrera ja tenia entitat suficient per generar una titulació nova. D'altra banda, la creació de les àrees de coneixement va comportar una ruptura veritable en l'àmbit de l'Anàlisi Química, la Bromatologia i la Toxicologia. Efectivament, el professorat que tradicionalment impartia aquestes disciplines a les facultats de Farmàcia es va veure obligat a optar entre les de Química Analítica, de Nutrició i Bromatologia o de Toxicologia i Legislació Sanitària. Cal dir que la majoria va fer-ho per la de Nutrició i Bromatologia, la qual cosa va comportar, d'una banda, l'abandonament obligat d'unes disciplines i, de l'altra, l'assumpció de responsabilitats en un àmbit nou com és el de la Nutrició.

En qualsevol cas, el Pla d'estudis nou de Farmàcia va incloure, a banda de la Química Analítica, assignatures troncals amb les denominacions de Bromatologia, Nutrició i Toxicologia, i també diverses assignatures optatives.

Però, d'altra banda, també l'any 1990 es van publicar directrius generals pròpies per a noves titulacions. Concretament, per a la llicenciatura en Ciència i Tecnologia dels Aliments (RD 1463/1990, BOE 20/11/1990). Aquesta llicenciatura, només de segon cicle, es va començar a impartir a la Facultat de Farmàcia, un cop aprovat un primer pla d'estudis (conjunt per a la Universitat Autònoma, la de Barcelona i la de Lleida).

1998

Aquest any es va aprovar (RD 433/98, BOE 15/4/1998) la creació d'un títol universitari nou, la diplomatura en Nutrició Humana i Dietètica, que la Universitat de Barcelona havia impartit com a títol propi fins el curs 1999-2000, que va passar a ser homologat. Aquest ensenyament s'imparteix, actualment, al Centre d'Ensenyament Superior de Nutrició i Dietètica (CESNID), en el qual el nostre Departament participa activament en la impartició de diverses assignatures (Nutrició Fonamental, Toxicologia Alimentària, Bromatologia Descriptiva, Bromatologia General).

El mateix any 1998, un decret (RD 778/1998) va introduir noves modificacions en els estudis de doctorat. Aquest decret estableix dos períodes de formació previs a l'obtenció del denominat *diploma d'estudis avançats*. Una vegada assolit aquest, un treball de recerca original permet l'obtenció del títol de doctor. Els cursos impartits pel Departament s'integren en un programa de doctorat conjunt de la Facultat que porta per títol Medicaments, Alimentació i Salut i que inclou, entre d'altres, els cursos Amines Biògenes (Vidal, Mariné, Veciana, Izquierdo), Avenços en l'Estudi dels Lípids (Codony, Rafecas, Boatella, Parcerisa, Guardiola), Tendències Actuals de Recerca sobre la Fracció Lipídica de les Llets Infantils (López) i Vi: Composició i Interès en l'Alimentació (De la Torre, López, Buxaderas, Lamuela).

2001

Una nova reforma de plans d'estudis va comportar la modificació del Pla d'estudis de Ciència i Tecnologia dels Aliments (BOE 19/12/2001). El Departament passava a impartir les assignatures obligatòries següents: Productes Alimentosos, Anàlisi d'Aliments, Pràctiques d'Anàlisi d'Aliments, Nutrició, Alimentació i Salut Pública, Toxicologia i Higiene dels Aliments, Química i Bioquímica dels Aliments, Tecnologia Alimentària II, i Qualitat a la Indústria Alimentària.

Com en al cas de Ciència i Tecnologia dels Aliments, es va procedir a modificar el Pla d'estudis de Farmàcia. Aquesta vegada, la matèria Nutrició i Bromatologia va donar lloc a una assignatura troncal única amb la mateixa denominació.

Les tesis doctorals

Les tesis doctorals

Núria Vidal Tort
Identificación específica de leches por métodos biológicos
(1962) (Moreno)

M. Carmen de la Torre Boronat
Determinación de pequeñas cantidades de boro y flúor en aguas minerales y vinos
(1965) (Moreno)

María Xirau Vayreda
Determinación del grado higrométrico y de tensiones de vapor por método ponderal
(1966) (Moreno)

Abel Mariné Font
Investigación cromatográfica y espectrofotométrica de cornezuelo en harinas
(1970) (Moreno)

Rosaura Farré Rovira
Estudio analítico de los carotenoides de las harinas y sémolas y modificaciones causadas por los agentes de blanqueo
(1974) (Costes)

José Boatella Riera
Modificaciones de algunos componentes de los aceites vegetales provocadas por las operaciones de refinación: su estudio espectrofotómetrico y cromatográfico. Discusión de un método de análisis de teocoferoles
(1975) (Moreno)

María Comas Font
Los vinos catalanes, su contenido en flúor y los métodos para su determinación
(1975) (Moreno)

Martín Pujol Forn
Antioxidantes alimentarios: su investigación y determinación en alimentos
(1976) (Moreno)

Isabel Méndez Mateu
Vitamina E en suero: métodos de análisis, niveles normales y relación con otros componentes lipídicos
(1977) (de la Torre)

Ramón Bartolomé Padrós
La contaminación atmosférica: determinación del fluor en el aire y en las plantas
(1978) (Moreno)

Francisco Javier Miquel Carbó
El flúor en la alimentación de lactantes de Barcelona
(1978) (de la Torre)

Leandro Lugar Abril
Estudio analítico de aflatoxinas. Factores que influyen en su biosíntesis
(1979) (Xirau)

Rafael Codony Salcedo
Aplicación de la analítica instrumental en la evaluación de la calidad de los acei-
tes esenciales de limón
(1980) (de la Torre)

Susana Buxaderas Sánchez
Niveles de cinc y cobre en sangre total y suero de la población de Barcelona
(1982) (Farré)

Juan Javier Permanyer Fábregas
Estudio del calentamiento de las grasas mediante modelos simplificados
(1983) (de la Torre)

Manuel Sánchez Díaz
Los colorantes y parámetros químicos como complementos de los criterios eno-
lógicos de la denominación de origen vinos del Priorato
(1983) (de la Torre)

Magdalena Rafecas Martínez
El aroma de los quesos: estudio analítico y su aplicación en el seguimiento de la
maduración
(1985) (de la Torre)

Román Lewkowycz Kysil
Estudio analítico de mercurocromo colorante sintético biológicamente activo
(1985) (de la Torre)

Carmen López Sabater
Evolución de los parámetros químicos del aceite a lo largo de la maduración de
las aceitunas del Montsià
(1985) (de la Torre, Boatella)

Mercè Maríí Pallarès
Evolución de la fracción glucídica en el proceso de elaboración del cava
(1986) (de la Torre)

Isabel Meseguer Soler
La fibra dietética: analítica, componentes principales y su valor en alimentación
(1987) (de la Torre)

José M. Gómez Piñol
Estudio de los componentes polifenólicos en uvas y productos de vinificación de
la variedad macabeo
(1987) (Pujol)

M. Carmen Vidal Carou
Aminas biógenas en vinos: histamina y tiramina (análisis, contenidos y evolución)
(1987) (Mariné)

Ana I. Castellote Bargalló
*Analítica de triglicéridos por cromatografía líquida de alta eficacia: aplicaciones a
aceites de origen vegetal*
(1987) (de la Torre, Pujol)

M. Luisa Forcadell Berenguer
*Els paràmetres químics en la caracterització dels olis de les denominacions d'ori-
gen Borges Blanques i Ciurana*
(1988) (de la Torre, Boatella)

Concepción Fernández López
Estudio de los factores que influyen en la evolución del color de los cavas
(1988) (Pujol)

Amalia Mónico Pifarré
*Determinació de residus de carbendazin aplicat com a tal o en forma de benomil
i metiltiofonat en fruits*
(1988) (Xirau)

Neus Hernández Rabascall
*Tecnologia i valor nutritiu dels greixos comestibles: vitamina E i formes isomèri-
ques dels àcids grassos*
(1988) (Boatella)

Gloria Aguado Blanco
Transformación del aceite de naranja en bebidas refrescantes
(1989) (Boatella)

Carlos Botet Piró
Análisis de micotoxinas. Aproximación a la analítica de control de micotoxinas en alimentos
(1990) (de la Torre, Sabater)

Rosa M. Lamuela Raventós
El contenido polifenólico de las variedades de uva xarel·lo y parellada y su interés en la obtención de vinos blancos
(1991) (de la Torre, Gómez)

María Luz Izquierdo Pulido
Análisis, formación y evolución de aminas biogenas en cervezas
(1991) (Vidal)

Evanilda Teixeira
Estudio de la técnica de hidroperoxidación en la elaboración del cava
(1992) (de la Torre, Buxaderas)

Elvira López Tamames
Características organolépticas de los vinos de base destinados a la elaboración de cava en función de tratamientos tecnológicos prefermentativos
(1992) (de la Torre)

M. Teresa Veciana Nogués
Aminas biogenas y otros parámetros relacionados con la alteración bacteriana del pescado. Estudio de su evolución y significado durante la elaboración de derivados
(1993) (Vidal)

Rosa M. Hernández Granés
Estudio cinético de la durabilidad de una leche infantil adaptada
(1994) (de la Torre, Alsina)

Francisco Guardiola Ibarz
Formación de oxiesteroles en el huevo en polvo durante el proceso de atomización y almacenamiento
(1994) (Boatella, Codony)

Cristina de la Presa Owens
Caracterización química y sensorial de mostos y vinos del Penedés
(1994) (Buxaderas, Lamuela)

Javier Parcerisa Egea
Estudio comparado de la fracción lipídica y actividad enzimática en diferentes variedades de avellana (Corylus avellana L.)
(1994) (Boatella, Rafecas)

Concepción Lao Luque
Efecto de los enzimas proteolíticos en la calidad de mostos y vinos
(1995) (de la Torre)

Silvia de la Presa Owens
Estudio de la incorporación de ácidos grasos polinsaturados de cadena larga en las fórmulas infantiles
(1995) (López, Rivero)

Mª Teresa Satué Gracia
Estudio del proceso oxidativo de aceites vegetales y de pescado
(1995) (López, Castellote)

Teresa Hernández Jover
Estudi de l'origen de les amines biògenes en derivats càrnics
(1996) (Vidal, Izquierdo)

Neus Domènech Pol
Millora de la qualitat en una industria de productes càrnics amb la implantació del sistema ARICPC
(1996) (Boatella, Mónico)

Inmaculada Segarra Menéndez
Sistemas de aseguramiento de calidad en empresas de restauración colectiva
(1997) (Rafecas, Quer)

Maria Rodríguez-Palmero Seuma
Incorporación de ácidos grasos polinsaturados n-3 procedentes de los aceites de pescado en individuos de edad avanzada
(1998) (de la Torre, López)

Gloria Sabater Sales
Estado nutricional de la población adulta catalana. Estudio de las vitaminas B1, B2, B6, àcido fólico, B12, carotenos y vitamina C y su relación con (...)
(1998) (de la Torre, Serra)

M. Cristina Andrés Lacueva
Variables que influyen en la capacidad espumante de los vinos elaborados según el método tradicional y el clásico
(1998) (Lamuela, Buxaderas)

M. Asunción Puig Deu
Factores que influyen en la fracción nitrogenada durante la elaboración del cava
(1998) (Buxaderas, E. López)

Pau Gascon Vila
Determinación del estado nutricional de la vitamina E en la población adulta de Catalunya. Relación con otros factores de riesgo cardiovascular: tensión arterial y obesidad
(1997) (Serra, Mariné)

M. Assumpció Roset Elias
Una aproximació a l'organització i hàbits alimentaris en els menjadors escolars de Catalunya
(1998) (Mariné, Rivero)

M. José González Corbella
Valoración del estado nutricional de vitaminas A y E en recién nacidos sometidos a distintos tipos de alimentación
(1999) (López, Castellote)

Magdalena López Barajas González
Importancia de la composición en las propiedades espumantes de los vinos base para elaborar cava
(1999) (Buxaderas, E. López)

José Vicente Pascual Nebra
Estudio del efecto de la raza y la alimentación en la grasa del cerdo a lo largo del crecimiento
(2000) (Boatella, Codony)

Sara Bover Cid
Identificación de variables y medidas de control de la acumulación de aminas biogenas en productos cárnicos fermentados
(2000) (Vidal, Izquierdo)

Soledad Albalá Hurtado
Evolución de las vitaminas y de parámetros relacionados con el pardeamiento no enzimático durante el almacenamiento de leches infantiles
(2000) (Mariné, Veciana)

Sonia Carla Francioli Gazol
Influencia del periodo de crianza en el aroma de los cavas
(2000) (Buxaderas, E.López)

Anna Grau Erra
Oxidación lipídica en carne de pollo: influencia del grado de instauración de la dieta y su suplementación con ácido ascórbico y alfa tocoferol
(2000) (Codony, Guardiola)

Ana Isabel Romero Pérez
Resveratrol y Piceido en uvas, mostos y vinos
(2001) (Lamuela)

Sonia Benito Gales
Los flavonoides en la protección vascular a través de la dieta: actividad antioxidante y vasorelajante
(2001) (Buxaderas, Mitjavila)

Maite Ibern Gómez
Los compuestos fenólicos como responsables del color y de la caracterización en enología
(2001) (Lamuela, Andrés)

Eva Gimeno Creus
Efecto ex vivo *del aceite de oliva sobre los ácidos grasos y antioxidantes del plasma y de las lipoproteínas de baja densidad (LDL) en humanos*
(2002) (López, Lamuela)

Antonio López López
Estudio de la importancia de la distribución del ácido palmítico en la posición sn-2 del triglicérido en su absorción en recién nacidos a término
(2002) (López, Castellote)

Sonia Novella Rodríguez
Influencia de variables tecnológicas e higiénico-sanitarias en la acumulación de aminas biógenas en quesos de cabra
(2002) (Vidal, Veciana)

Magdalena Gallart Marimón
Influencia de los ácidos grasos en la espuma del cava: medidas físicas y senso-riales de la espuma
(2002) (Buxaderas, López)

Susana Morera Pons
Caracterización de la leche materna por su composición en triglicéridos
(2002) (López, Castellote)

Les tesines de llicenciatura

Fotografia 30. Aula 2 de la Facultat de Farmàcia. (JBR)

Fotografia 31. Antic bar de la Facultat de Farmàcia. (JBR)

Les tesines de llicenciatura

(1970)
Rosaura Farré Rovira (farina, blanquej.)
Mercedes Larrea López
Guadalupe Llatas Escrig (aminoàcids,vi)

(1971)
Jordina Amat Oller (begudes cítrics)
M. Pilar Ancin Marin (sulfurós, vi)
Jose Boatella Riera (Agrostema, farina)
M. Teresa Ansó Larragay (brom, llet)
Montserrat Camprubi Ribalta (ciclamat)
Margarita Ramonell Goyanes (creatinina)
Maria Serrat Vilardell (fluor)
M. Caridad Solé Ribas (sílice)
Concepción López Claveria (complexometria, olis)

(1972)
Leandro Lugar Abril (aflatoxines)
M. Luisa Ortún Rubió
Montserrat Alvarez Reverter (colorants, pastes)
Isabel Méndez Mateu (bor, fluor, aigües)
Mª Loudres Perales Madueño (calci, aliments)
Enriqueta Sancho Riera (cafeina, cafè)
Alfredo Taracido Cayuela (colorants, sucs)

(1973)
Rosa M. Ciutat Montserrat (colorants, vi)
Mª Angels Perxas Seras (der. bromats acètic, vi)
Ramona Vidal Delclos (canyella, pebre vermell)
Ramon Bartolomé Padrós (Na, K, Ca, Mg, vi)
Jerónimo Marsal Reig (CG, teoria, greix)
Jesús Martín Trullas (minerals, vi)
M. Rosa Piquer Pérez

Gloria Valls López (alim. infantils, glutamat)

(1974)
Francisco Javier Miquel Carbó (fluor, aigues)
M. Teresa Cucarull Roca (envasos de llauna)
Manuel Garrabou Gomá (antioxidants)
Jose M. Quer Fañanas (conservants, taronges)
Catalina Bennasar Bibiloni (pebrot vermell, carotenoides)

(1975)
Pilar Campasol Teixidor (tocoferols)
Milagros Díez Vázquez (colorants, conservants)
Rafael Codony Salcedo (enflurà, sang)

(1976)
Maria Ibars Alonso (fluor, contamin.)
Maria Dolores Torelló Llopart (vit.E, aliments infantils)
Bartolomé Castañer Puig (Ca, Mg, sucs)
Montserrat Domenech Montagut (carotenoides, pebrot vermell)
Riansares García Gallego (Br, Cl, cloramina, sucs)
Juan Javier Permanyer Fábregas (olis, oxidació)

(1977)
Ana I. Castellote Bargalló (aigües, Rubielos)
Juan A. Simón Bisbal (sòrbic, vins)
Mariano Velez Gonzalez (aflatoxines)

(1978)
Rafael Morros Viñoles (mercuri, tonyina)

Montserrat Martín Moltó (aigües, Barcelona)

(1979)
Isabel Meseguer Soler (Pb, Cd, aigües, begudes)
Jose Luis Pérez Saenz (Pb, vi)
Magdalena Rafecas Martínez (greix, formatge)
Juan Termes Esteller (begudes refrescants)
Marta Rivero Matas
Margarita Ross Neiser (normes, Conserves)
Teresa Maciá Parisi (vitamina A)

(1980)
Rafael de la Torre Fornell (barbitúrics)
M. Gloria Vila Surribas (vitamina E, sang)
M. Pilar Domingo lópez (drogues abús)
Manuel Escribano Escribano (drogues abús)
Concepción Fernández López (benzodiacepines)
Jose Mª Gomez Piñol (nicotina, orina)
M. Carmen López Sabater (antioxidants)
Susana Oliveras Ley (proteïnes, llet)
Marta Roqueta Sureda (enquesta alim., Girona)
Begoña Vázquez San Román (Fe, aliments infantls)

(1981)
José Manuel Zango Diaz (colorants)
José M. Aldea López (nitrosamines, càrnics)
Ruben A. Giuliano Simón (anàlisi tox. urgència)
Mercedes González Aubert (Se, alim.)
Montserrat Marsá Vila (Zn, Cu, Fe, aliments)
Agnes Pumarola Batlle (pesticides naturals)

(1982)
Mercedes Brunet Serra (anàlisi tox. urgència)
Irene Ferre Garrich (DES, càrnics)
M. Luisa Forcadell Berenguer (pesticies, aigües)
Miguel Angel Losada Diaz (tireostàtics, carns)
Catalina Pascual Codina (aroma, aliments)
Montserrat Pons Busom (oxid d'etilè)
Montserrat Pujadó Bros (oxid d'etilè)
Mercè Martí Pallarés (antituberculosos, CG)
Nuria Ribas Figueras (pest. carbàmics)
Isabel Tenorio Ripoll (cannabis)
Arturo Vinuesa Canals (sucs cítrics)
Magdalena Yagües Parellada (colorants)
Jorge Aubets Mir (toxicomanies)
Núria Gonzalez Domenech (Isoniacida)
Mª Carmen Maimo Domingo (olis llavors)
Pilar Mor Lorente (cocaïna)
M. Isabel Tenorio Ripoll

(1983)
Guillermo Canelo Calbe (DBHMF)
Ruth Pladevall Planas
M. Concepción Fernández Pérez (barbitúrics)
Amalia Mónico Pifarré (pesticides, fruita)
Francisco Javier Tarradas Monte
M. Carmen Vidal Carou (amnies biògenes)
M. Angeles Bosch Ferrer (monitorització farmacs)
Carmen Franandez Pérez (gluten)
Olga Godia Nuez (clorofil·la, carotè, oli)
Angeles Gomez Gomar (vit. E, llet)

José Bruno Montoro Ronsana (cannabis)

(1984)
Josep Balsalobre i Palacios (fluor, aigües)
Marta Basté Barberán (Pb, vi)
Francesc Perich i Tomàs
Gaspar Alemany Mendilego (LSD)
Josefa Bertomeu Arasa (olis, oxidació)
Jordi Colell Areny (esculè, olis)
Neus Hernández Rabascall (oli verge)
Mª Angeles Santín Colomer (intox. toluè)
Concepción Soler Segon (anxoves)

(1985)
Jaime Garces Castañares (qualitat mètodes anàlisi)
Sebastián Gascón Fora (òxid d'etilè)
Francisco Pérez Carlos (oxidació, olis)
M. Luisa Albelda Revreter (metam sòdic, sols)
M. Carmen Antolín Mate (àcids, mostos, vins)
Aida Arnaiz López (acroleïna)
Carlos Ramón Botet Piró (aminoàcids, HPLC)
M. Teresa Brillas Hernández
Elisabeth Viladrich Gonzálbez (Cu, Fe, olis)
Anna Agramont Salinas (tocoferols, olis)
M. Teresa Guillén Jiménez (acidesa, olis)
Rosa M. Hernández Granes (oxidació, llets)
Natividad Sarrión Martinez (oli verge)
M. Roser Gimeno Vegué (aromes, vi)

(1986)
Maria Canals Palau (impureses, CCF)
Emili Esteve Sala (polifenols, raïm)
M. Victoria Díez Arce (hidrats carboni)
Juan Simón Pallisé

Francisco Campos Barreda (metam sòdic)
Margarita Aguas Compaired
Joaquin Amela Navavrro (plantes tòxiques, Barcelona)
Mercè Condal (polifenols, cava)
Montserrat Costa Llor (oli d'oliva, esterols, alcohols)
Cristina Ferreruela Sasot (farina)
Mercè Miret Ferrer (greix, balena)
Mónica Salto Jacas (cafè, esterols)
M. Teresa Santamaría Bech (química, vi)
M. Carmen Ulla Ulla (tiramina, tirosina)

(1987)
Mercè Cascalló Piqueras (Etiòpia)
Marta Congost Casademont (cannabis)
M. Teresa Morera Guzmán (Cd, alim.)
Elisa Muxella Molins (control dopatge)
Josefina Villanueva Matoses (polifenol, oxidació)
Rosa Ventura Alemany (opiàcis, orina)
Neus Casajuana Filella (comp.nitrog., peix)
M. Teresa Franco Pàmies (sulfurós, marisc)
M. Jesús Isla Gavin (histamina, tiramina, vi)
Rosa M. Lamuela Raventós (polifenols, raïm)
Juan José Plana Mendo (greix, fruits secs)
Natàlia Ruhí Briansó (carbendazima, vi)
M. Concepción Soria Santaliestra (peròxids, oli)
Alfred Ambatlle Espunyes (amines, vi)
M. Luz Izquierdo Pulido (amines, cervesa)
Cristina Moradell Valles (alcohols alifàtics, oli)
M. Pilar Morales Magrazo (aroma, olis)
Mariona Puig Deu (Pb, As, greix)

Manuel Quintana Gana (polifenols, raïm)

(1988)
M. Blanca Cogul Ardévol (tiramina, peix)
M. Pilar Moreno Bretones (aminoàcids, aliments infantils)
M. Cristina Lobato Rodríguez (qualitat, farina)
Pilar Ricart Hernández (greix, peix)
M. Teresa Palat Gubern (polifenols, cava)
Elvira López Tamames (carbonilics, cava)
M. Carmen Martín Morro (amines, embotits)
M. Teresa Veciana Nogués (histamina, tiramina, peix)

(1989)
Blanca Hernàndez Marimon (greix, cacau)
Isabel Marin Garcia (herbicides, aigües)
Marta Odena Jornet (polfenol. oxid, cava)
Matilde Parreño Gomez (triglicèrids, plasma)
Bernardo Aaron Pinto (greix, alim. inf.)
Fedra Lahoz Portoles (amines, vins)
Teresa Nadal Aquilme (fermentació, vi)
Mercedes Sala Martín (clarificants, vi)
Nuria Santiago Ventura (aminoàcids, aliments infantils)

(1990)
M Aurora Benaiges Benaiges (amines, peix)
Mercedes Boix Montañes (pectines)
M. José Chincolla Rocabert (aminoàcids, vi)
Judit Font Fàbregas (microb., cervesa)
M. Luisa Fillat Pérez (vi)
Concepción Lao Luque (aromes, vi)

Gemma Pujolà Ferrer (triglicèrids, oli)
Cristina de la Presa Owens (comp. fenòlics, vi)
Silvia de la Presa Owens (lipids, alim. infantils)

(1991)
Teresa Satué Gracia (oli, peix)
Maria Betriu Català (tiramina, cervesa)
Antonlo Boix Montañes (fosfolípids)

(1992)
Rosa Alsius Suñer (ATP, peix)
Teresa Hernández Jover (amines, carns)
Marisa González Merino (vit. E, peix)
Gloria Sabaté (micronutrients)
Laura Izquierdo Ridorsa (furfural, llet)

(1993)
Neus Domènech Pol (greixos)
Joaquim Braun Vives (pesticides)
Carme Martí Cuatrecasas (triglicèrids, peix)
Magda Gallart Marimón (ac. grasos, vi)
Juan Ayté del Olmo (greix, pastisseria)
Núria Lloberas (vitE, plasma)
Noemí Castellví Barberá (lisina, llet)
Montse Medina Sas (qualitat, peix)

(1994)
Inmaculada Segarra (vi)
Mercé Tortras Biosca (vitE, aliments infantils)
Lurdes Aragón Pérez (qualitat, peix)

(1995)
Cristina Andres Lacueva (vi)
Marta Roca de Viñals (ac.grasos, càrnics)
Alicia Santamaria
Marcel Gili (greix, aliments)

(1996)
Miquel Illera (antioxid., pastisseria)
Sonia Francioli Gazol (aromes, vi)
Raquel Marcos Montes (amines, carns)

(1998)
Maite Ibern Gómez (polifenols, cava)
Isabel Romero Pérez (aromes, vi)

Nota: Des de l'inici de la modalitat de tesina per a obtenir el grau de llicenciat, a la Facultat se n´han presentat un total d'aproximadament 1520, de les quals 207 han estat realitzades al departament.

Bibliografia

(1)   ROLDÁN GUERRERO, R. *Diccionario biográfico y bibliográfico de auto
        res farmacéuticos españoles.* Madrid: Gráficas Valera, S. A., 1958.

(2)   JORDI GONZÁLEZ, R. «Notas revisables sobre los decanos de la
        Facultad de Farmacia de Barcelona (1852-1972)». A: *Butlletí Informatiu
        Circular Farmacèutica.* 1979, XI, 1, 11-45.

(3)   VILLANÚA, L. «El análisis químico aplicado, Ciencia Farmacéutica». A:
        Anales de Bromatología. XXXIX, 1, 11-45.

(4)   CARMONA, A. *Historia de la Cátedra de Técnica Física aplicada a la
        Farmacia y Análisis Químico y en particular de los alimentos, medica-
        mentos y venenos de la Facultad de Farmacia de la Universidad de
        Barcelona (1886-1936).* Barcelona: Universidad de Barcelona, Facultad
        de Farmacia, 1974. [Tesina de licenciatura].

(5)   ROS, J. «José Casares Gil: Estudio de la causa del atraso científico
        en España en comparación con Europa». A: *21 discursos inaugurals,*
        núm.12. Barcelona: Publicacions de la Universitat de Barcelona, 2001.

(6)   CAMARASA, J. M.; ROCA, A. *Ciència i Tècnica als Països Catalans: una
        aproximació bibliogràfica.* Barcelona: Fundació Catalana per a la
        Recerca; Ediciones Folio, S. A., 1995.

(7)   ARQUÉS SURINYAC, J. *Enrique Soler i Batlle: su etapa en el rectorado
        y su relación e influencia en la trayectoria de la Universitat Autònoma de
        Barcelona (1930-1934).* Barcelona: Universidad de Barcelona, Facultad
        de Farmacia, 1976. [Tesina de llicenciatura].

(8)   ARTIGA PÉREZ, M. C.; CASTELLOTE BARGALLÓ, C. *Sucinta historia
        sobre mi origen, formación y amor a la enseñanza y a la investigación.*
        Barcelona: Universitat de Barcelona, Facultat de Farmàcia, 1976. [Treball
        d'història].

(9)   COLOMER, J. M. «Els estudiants de Barcelona al llarg del temps». A:
        Aportació de la universitat catalana a les ciències i la cultura. Barcelona:
        L'Avenç, S. A., 1981. (Col·l. Estudi).

(10)   SANZ PÉREZ, B. *El ayer, hoy y mañana de la Bromatología.* Madrid:
        Instituto de España; Real Academia de Farmacia, 1988.